TANJA HIRSCHSTEINER

REMEDIOS NATURALES

SECRETOS DE LA MEDICINA ALTERNATIVA

PREFACIO

¿Sabía que la miel permite erradicar casi todos los tipos de bacterias? ¿Sabía que Madonna, la cantante pop, bebe kombucha todas las mañanas? ¿Por qué beber una copa de vino durante la cena es mejor que no beber alcohol en absoluto? ¿No ha deseado alguna vez conocer el verdadero poder de las hierbas y cómo utilizarlas en forma adecuada? ¿Sabe cómo usar una compresa fría o para qué se utiliza una venda tibia?

Si así es, usted se encuentra entre aquellos que se preocupan por su salud no solo en el consultorio del médico. Las drogas recetadas y el bisturí de un médico cirujano pueden justificarse y resultar necesarios en la mayoría de los casos. Pero existe una gran cantidad de formas más naturales de evitar y tratar enfermedades.

En este libro recopilé los “remedios secretos de la abuela” y consejos de salud; los comparé con los hallazgos más recientes de la ciencia moderna y los actualicé. El resultado es una colección de los mejores remedios caseros y hierbas comunes de resultado eficaz y comprobado. Aquí proporciono información sobre los diversos usos e instrucciones acerca de cómo prepararlos. Con seguridad, algunos de estos remedios ya se encuentran en su hogar, y seguramente puede comenzar a utilizarlos en forma inmediata para tratar malestares de menor gravedad. Al utilizar estos “elementos curativos” naturales en forma periódica, será posible evitar el desarrollo de una gran cantidad de problemas de salud. Espero que esta guía despierte su apetito por la miel, el chucrut, el ajo, las especias, los aceites vegetales, el té verde y muchos más, para que lo ayuden a mejorar su salud.

Tanja Hirschsteiner

CONTENIDOS

LA MEDICINA NATURAL

Durante cientos de años se ha recurrido a la naturaleza como fuente de energía y salud. Se recolectaron hierbas, se utilizaron plantas de huertas orgánicas como remedios y se aprovechó el poder curativo del agua. Gracias a estos tratamientos naturales, actualmente muchos disfrutan de una excelente salud durante toda su vida y alcanzan una edad avanzada. Luego de un período de acelerados progresos en los campos de la medicina y la química que han provocado la pérdida de confianza en una gran cantidad de personas en lo que respecta a la medicina natural, ha surgido un interés renovado por la utilización de este conocimiento de resultados comprobados a través del tiempo. Una de las razones de esta vuelta al tratamiento de enfermedades mediante hierbas y demás remedios naturales, es el hecho de que estos tratamientos conllevan peligros menores que los de la medicina moderna en lo que respecta a los efectos colaterales no deseados. No obstante, la medicina natural debe ir acompañada de una nutrición adecuada y de un estilo de vida saludable. En realidad, para que el tratamiento sea exitoso, el cuerpo y el alma deben encontrarse en armonía; de hecho, esta es una de las cosas que promueven los remedios naturales.

RESULTADOS EFICACES Y COMPROBADOS

DE SACERDOTES, RELIGIOSAS Y ABUELAS

Durante muchos siglos se acumuló una gran cantidad de conocimientos empíricos.

Mucho tiempo antes de que el conocimiento médico fuera organizado y registrado en forma sistemática, eran, en su gran mayoría, las mujeres ancianas y las curanderas de las aldeas las que contaban con la riqueza del conocimiento práctico acerca de cómo tratar una gran cantidad de enfermedades mediante plantas, minerales y demás sustancias de la naturaleza. Este conocimiento empírico se desarrolló y evolucionó en los monasterios y conventos durante la Edad Media. Los monjes y las religiosas compararon los remedios caseros con la información obtenida de los antiguos textos griegos y romanos, refinaron los métodos a través del ensayo y asentaron por escrito sus conclusiones. Santa Hildegarda de Bingen, una religiosa que vivió en el siglo XII, fue quizás la practicante más conocida de la medicina monástica.

Durante el siglo XIX, Samuel Hahnemann desarrolló la homeopatía; y J. S. Hahn y C. W. Hufeland se dedicaron al uso de la hidroterapia, un tratamiento que luego se expandió gracias a Sebastián Kneipp, un sacerdote católico. Kneipp recomendaba aplicaciones de agua fría (afusiones, lavados, baños, ejercicios acuáticos, vendas y compresas), así como también preparados a base de hierbas y un estilo de vida saludable.

Nuestras abuelas conocían los poderes curativos de la naturaleza y trataban a la familia completa con remedios simples pero efectivos tales como tés y jugos de hierbas, inhalaciones y compresas. Los remedios naturales se transmitieron de generación en generación hasta que, durante varias décadas, fueron casi olvidados debido a nuestra fe ciega en el progreso de la medicina moderna convencional.

RITOS DE CURACIÓN

Para que los pacientes presenten mejorías, debe activarse su capacidad de autocuración. Esto puede lograrse mediante el fortalecimiento de su sistema inmunológico y el desarrollo de la salud emocional y espiritual. En las enfermerías, los monjes y las religiosas de la Edad Media recomendaban orar, además de ordenar la administración de un medicamento determinado. En el período anterior al Iluminismo, la fe mítica y los ritos se incluyeron en el tratamiento de los enfermos; esta práctica ejerció una gran influencia sobre su curación. En el ejercicio de la medicina tradicional actual, la mayoría de los pacientes recibe una atención personalizada insuficiente. Con bastante frecuencia, se intercambian unas pocas palabras antes de que el médico tome el recetario. La medicina natural, por el contrario, requiere una cantidad de tiempo y un compromiso considerables; una especie de acto ritual. Incluso la tarea más sencilla de preparación de una taza de té puede considerarse como un acto de este tipo. Los tratamientos que necesitan de un tiempo más prolongado —como por ejemplo la utilización de vendas—, proporcionan una buena oportunidad para consentir al paciente.

LA CONSERVACIÓN DE LA SALUD

Una gran cantidad de malestares pueden tratarse con remedios naturales.

El propósito de este libro consiste en explicar la forma correcta de utilizar remedios naturales para que el lector pueda conocer las diferentes sustancias y los tratamientos empleados en medicina natural. Se siente una gran satisfacción al poder contribuir y participar en la curación de uno mismo; o al ayudar a los demás a mejorar la calidad de su salud. En caso de no contar con experiencia alguna en remedios caseros y hierbas, o si los conocimientos son escasos, es conveniente comenzar con algunos remedios sencillos. La próxima vez que sufra un dolor de cabeza, por ejemplo, beba un vaso de agua fría con dos cucharadas de vinagre de manzana y una cucharada de miel. Podrá obtener un efecto más rápido que al utilizar el medicamento tradicional, el sabor será más agradable y puede estar seguro de que no existirán efectos colaterales. También es aconsejable utilizar remedios naturales para otros malestares de menor gravedad. No es necesario que las mujeres convivan con el síndrome premenstrual, esa incomodidad que se experimenta comúnmente con anterioridad al período; el agnocasto puede ser de gran ayuda. El comienzo de la disminución de la función cardíaca, un estado que finalmente nos afecta a todos, y otros síntomas relacionados con la edad pueden retardarse en forma significativa mediante la utilización del espino y una gran cantidad de otras hierbas y remedios caseros. El ajo puede disminuir levemente la presión sanguínea elevada en los casos en que los medicamentos sintéticos no pueden justificarse dados sus efectos colaterales. La hierba de San Juan es un remedio efectivo contra el "desorden afectivo estacional", que consiste en una forma de depresión que ocurre con frecuencia durante el invierno, cuando el sol escasea. La mayoría de las personas obtienen resultados favorables con este remedio, ya que levanta el ánimo, y renueva la energía y el optimismo.

Cada casa debería contar con hierbas secas y tinturas para tés, baños y vendas.

Los lavados y las afusiones, las hierbas medicinales y una dieta saludable fortalecen el sistema inmunológico antes de que las infecciones puedan manifestarse y deban tratarse con antibióticos. Y en caso de que se presente un resfrío después de todo, es necesario saber interpretar las señales del cuerpo: lo que necesita es descanso y atención.

SE NECESITA PACIENCIA

Los remedios naturales no necesariamente hacen desaparecer los dolores y las molestias con tanta rapidez como se espera en general. La paciencia y la perseverancia, la cooperación activa y, en algunos casos, la disciplina por parte del paciente son parte del proceso de curación natural. Cuando la enfermedad afecta el organismo, se requiere tiempo para que el cuerpo pueda recuperar su equilibrio y para que regresen la salud y el bienestar.

Para una recuperación duradera, se necesitan con frecuencia ciertos cambios en el estilo de vida. El estrés debe reducirse. Muchos deben modificar su dieta y practicar una mayor cantidad de ejercicio. Estos tipos de cambios, en general, no se producen de la noche a la mañana.

CONSEJO: BOTIQUÍN DE PRIMEROS AUXILIOS

Además de los elementos tradicionales, como el termómetro y los analgésicos, será conveniente agregar algunas hierbas para preparar tés, baños e inhalaciones, materiales necesarios para aplicar compresas y vendas, y algún aceite aromático para el cuerpo. Todo lo necesario para utilizar estos remedios naturales puede adquirirse en farmacias o tiendas de productos dietéticos; incluso es posible que ya se encuentren en su cocina.

¡IMPORTANTE! Adquirir siempre productos de calidad de para asegurarse de que contienen una cantidad abundante de ingredientes activos. Hipócrates, cuyo juramento debe prestar todo médico, aconsejó por primera vez que "los alimentos deberían ser como medicamentos y los medicamentos como alimentos". Su concepto de medicina se basó en un estilo de vida estructurado, una nutrición apropiada y remedios a base de hierbas.

LAS LIMITACIONES DEL AUTOTRATAMIENTO

Recordar siempre: es necesario un diagnóstico adecuado previo al tratamiento.

Los malestares menores que no poseen una causa subyacente son los tipos de trastornos que pueden autotratarse sin riesgo alguno. Sin embargo, si los síntomas no son específicos o resulta complicado describirlos, o si no se presentan mejoras dentro de los tres días, es conveniente consultar con un médico o cualquier otro profesional en medicina. Con su autorización, el tratamiento médico tradicional podrá combinarse con los remedios naturales, que pueden reducir la duración de la enfermedad. El tratamiento de enfermedades graves mediante remedios naturales y el ejercicio de la medicina solo deben ser efectuados por un profesional calificado y con experiencia.

Incluso las hierbas no siempre resultan totalmente inofensivas o libres de efectos colaterales. Debe verificarse que no se presenten reacciones alérgicas u otros signos de intolerancia.

EL PROPÓSITO DE ESTA GUÍA

Se recomienda aliviar dolores y molestias con los remedios de la cocina, de huertas orgánicas y con agua.

En la primera parte de este libro se encontrarán descripciones de los remedios caseros más importantes que pueden hallarse en toda cocina, tales como vinagre de manzana o cebolla. A pesar de que se utilizan en gran parte para promover la salud y evitar enfermedades, estos remedios también pueden complementar el tratamiento convencional de ciertos malestares. En el caso de las molestias menores, pueden proporcionar una alivio inmediato sin efectos colaterales.

El objetivo de la segunda parte es poder familiarizarse con las hierbas más populares. Se encontrarán los métodos para utilizarlas y sus efectos. También se exponen algunas mezclas de hierbas de resultados eficaces y comprobados.

En el capítulo sobre hidroterapia aparecen diversas aplicaciones del agua: baños, lavados, vendas y compresas. Allí podrán encontrarse las instrucciones detalladas acerca de cómo utilizar estos remedios para obtener resultados óptimos.

Una tabla sobre trastornos que aparece al final de la guía, les permitirá conocer en forma breve cuáles son los remedios adecuados para cada estado.

REMEDIOS CASEROS DE LA COCINA

Todas las principales tradiciones médicas del mundo, desde la medicina monástica medieval europea y el ayurveda, la medicina tradicional de la India, hasta la medicina china tradicional, nos enseñan que la nutrición adecuada desempeña un papel tan importante en la conservación y recuperación de la salud como los medicamentos mismos. Nuestras abuelas sabían que una gran cantidad de alimentos comunes resultan muy útiles para evitar, e incluso curar, diversas afecciones. Es probable que existan en su cocina más remedios naturales de los que usted cree. En este capítulo, se verá cómo mejorar el estado general de salud con vinagre de manzana, especias, miel, kéfir, hierbas comestibles comunes, aceites vegetales y otros alimentos, y cómo utilizarlos para tratar una gran cantidad de malestares. Tal como es el caso de los medicamentos, la dosis correcta y el método de preparación son la clave del éxito. Todas las recetas incluidas en este libro son sencillas. Con un poco de práctica, el uso de remedios naturales, efectivos y de costo reducido para usted y su familia será parte de su vida.

VINAGRE DE MANZANA

FUENTE DE JUVENTUD, SALUD Y BELLEZA

El vinagre en todas sus variedades ha sido utilizado durante cientos de años, no solo como condimento sino también como bebida, como remedio natural y como conservante. En el año 3000 a. C., el vinagre se producía en fábricas junto con la cerveza. Durante la Edad Media, se enriqueció con bayas, flores y hierbas, y fue gravado con impuestos. Hildegarda de Bingen hizo referencia a sus beneficios en la digestión. Durante varios siglos resultó indispensable para conservar la higiene; mucho antes de que se descubriera que las bacterias eran la causa de las enfermedades, las heridas se limpiaban y las habitaciones de los enfermos se desinfectaban con vinagre. Las sales aromáticas utilizadas por las damas de la clase alta contenían vinagre.

El ácido acético no contiene en sí mismo sustancias de gran valor. Su única propiedad útil consiste en la capacidad de remover la suciedad y las manchas rebeldes.

PREPARACIÓN: El vinagre se produce cuando las bacterias del ácido acético actúan en los alcoholes en presencia de oxígeno. Esto ocurre cuando una sustancia alcohólica se deja reposar. Por lo tanto, no resultó necesario inventar el vinagre. Solo debió descubrirse, y aún hoy en día, es un producto natural. La preparación del vinagre de manzana es sencilla: se extrae el jugo de las manzanas y se deja fermentar. Las bacterias convierten el alcohol resultante en ácido acético. Como consecuencia de que el vino de manzana posee un porcentaje alcohólico menor al vino de uva, el vinagre resultante es menos acético que el de vino. Los vinagres de manzana saben a frutas y no son demasiado ácidos.

EFECTOS: Este vinagre contiene minerales y microelementos tales como calcio, fluoruro, magnesio, sodio, fósforo y silicio. También es rico en potasio, que contribuye al funcionamiento del músculo del corazón. Otro ingrediente activo es la pectina, un tipo de fibra dietaria con propiedades que permiten la disminución del colesterol y que se encuentra en especial presente en cantidades sustanciales de vinagre de manzana sin filtrar. Además del agua y del ácido acético, el vinagre de manzana contiene alcohol residual y diversos productos derivados de la fermentación. En síntesis, se trata de un líquido muy complejo cuyas propiedades regenerativas y curativas son el resultado de la sinergia de todos sus ingredientes activos.

Su efecto más importante radica en su capacidad de actuar como antibacteriano, en gran parte debido a la presencia de ácido acético. A una concentración determinada, este ácido destruye sus propias bacterias. Esto limita el nivel ácido del vinagre producido en forma natural a un punto máximo determinado.

Aún no se sabe a ciencia cierta la forma en que opera el vinagre de manzana ni cuáles son las sustancias responsables de sus beneficios específicos.

Las propiedades antibacterianas poseen un efecto beneficioso en el aparato digestivo. Fomentan la proliferación de la flora intestinal, es decir, las bacterias naturales necesarias para una digestión adecuada, y matan las bacterias perjudiciales que provocan la descomposición y la fermentación no saludables. El vinagre de manzana también mejora la digestión y ayuda a mantener una relación saludable entre ácidos y bases en el cuerpo. Este equilibrio puede verse afectado por estrés y enfermedades crónicas o como consecuencia de la ingesta de alimentos procesados. El resultado consiste en una cantidad excesiva de ácidos en el organismo. La acidez en exceso puede contrarrestarse con verduras, frutas y demás alimentos no procesados que actúan como bases. A pesar de que resultan ácidos, el vinagre de manzana y los limones pertenecen a esta categoría de alimentos, ya que actúan como bases dentro del organismo.

En las vías respiratorias, los vapores del vinagre de manzana destruyen los gérmenes, aumentan la circulación de la sangre y reducen la mucosidad bronquial. Los estudios han demostrado que aquellos que tienen relación con la producción de vinagre e inhalan en forma periódica sus vapores, sufren menos infecciones respiratorias.

USO ADECUADO

Al comprar, debe insistirse en su buena calidad. Es conveniente elegir sólo vinagre fermentado en forma natural. Las manzanas utilizadas deben ser preferentemente orgánicas, ya que la cáscara y el corazón, las partes más susceptibles de contener pesticidas, en general no son removidas de las frutas utilizadas en la fabricación.

El vinagre de manzana diluido en agua y endulzado con miel posee un sabor agradable y es un tratamiento eficaz para una gran cantidad de afecciones.

Tratamiento con vinagre de manzana

REFRESCO DE VINAGRE DE MANZANA Y MIEL: El vinagre de manzana y la miel son dos remedios caseros que se complementan sumamente bien. Agregar dos cucharadas de vinagre de manzana y una cucharada de miel en un vaso de agua y batir en forma adecuada. Beber de a sorbos pequeños. Para este tratamiento, que debe repetirse durante aproximadamente seis semanas, beber dos o tres vasos de la mezcla por día.

INHALACIONES: Verter 250 ml de vinagre de manzana en un recipiente y agregar aproximadamente medio litro de agua caliente. Inclinarse sobre el recipiente y colocar una toalla de mano sobre la cabeza y por encima del recipiente. Inhalar el vapor entre cinco y diez minutos.

BAÑOS, COMPRESAS Y LAVADOS: Estas aplicaciones se describen en detalle en las páginas 157, 163 y 169.

CASOS EN LOS QUE PUEDE UTILIZARSE

El vinagre de manzana posee un efecto revitalizante sobre todo el organismo. Estimula el metabolismo corporal y proporciona además una cantidad importante de las necesidades diarias de minerales y vitaminas. Actúa como digestivo y evita el desarrollo de bacterias en el organismo. A pesar de ser, ante todo, un alimento que contribuye a conservar la salud, también puede utilizarse para tratar trastornos menores.

Durante la primavera, es recomendable recuperar la vitalidad del organismo con vinagre de manzana.

RECUPERACIÓN DEL ESTADO DE SALUD GENERAL, PURIFICACIÓN Y PREVENCIÓN

Un tratamiento a base de vinagre de manzana, por ejemplo, durante la primavera y el otoño, revitaliza todo el cuerpo luego de un largo invierno, una enfermedad prolongada o agotamiento crónico. Mediante el ajuste de la flora intestinal, contribuye a la digestión y fortalece el sistema inmunológico. El vinagre de manzana puede utilizarse además en forma conjunta con la medicina tradicional para dolores de cabeza crónicos, problemas circulatorios y problemas cardiovasculares. También evita la formación de cálculos renales y biliares. Si se desea perder algunos kilos durante la primavera, se recomienda beber vinagre de manzana todos los días.

PRINCIPALES APLICACIONES

TRASTORNOS	APLICACIONES SUGERIDAS
Gases abdominales	Refresco de vinagre de manzana.
Acné	Baños de vapor para el rostro; bebida.
Moretones, luxaciones, distensiones	Vendas frías o tibias.
Problemas cardiovasculares	Lavados; vendas frías; bebida.
Resfríos	Inhalaciones; bebida.
Constipación	Vendas tibias en la zona abdominal; bebida.
Tos, bronquitis	Inhalaciones; vendas frías o tibias en la zona del pecho; bebida.
Desintoxicación	Tratamiento con bebida de vinagre de manzana.
Diarrea	Beber vinagre de manzana diluido.
Dolores de cabeza	Bebida; compresas frías en la frente.
Hemorroides	Baños de asiento.
Inmunodeficiencias	Tratamiento con vinagre de manzana; lavados.
Picaduras de insectos	Vendas o compresas frías.
Problemas menstruales	Bebida de vinagre de manzana y miel.
Náuseas	Bebida de vinagre de manzana y miel.
Sobrepeso	Bebida de vinagre de manzana y miel.
Reumatismo	Bebida; vendas frías o tibias.
Sarpullido	Aplicar vinagre de manzana; bebida
Dolor de garganta	Inhalaciones; vendas húmedas y calientes en la zona de la garganta; bebida.
Quemaduras de sol	Compresas; baños tibios.
Infecciones urinarias	Bebida de vinagre de manzana.
Secreción vaginal	Lavado vaginal; bebida.
Várices	Vendas frías en la zona de las piernas; baños de pies; lavados.

• *Inmunodeficiencia.* Utilizar el tratamiento con vinagre de manzana, junto con lavados periódicos con vinagre de manzana (ver página 169). Tratamiento con vinagre de manzana: beber dos o tres vasos de vinagre de manzana y miel por día durante aproximadamente seis semanas. Si se desea perder peso, agregar solo una pequeña cantidad de miel.
• *Dolores de cabeza crónicos.* En este caso, efectuar el tratamiento con vinagre de manzana y aplicar compresas frías en la frente (ver página 162).
• *Problemas cardiovasculares.* Utilizar el tratamiento con vinagre de manzana. Efectuar lavados periódicos y aplicar vendas frías con vinagre de manzana en la zona de la nuca por las mañanas (ver páginas 157 y 168).

INFECCIONES

Puede resultar útil como tratamiento adicional en resfríos, infecciones de las vías respiratorias superiores y cistitis. Agregar miel para mejorar su acción antibacteriana y proporcionar ingredientes activos adicionales.
Infección urinaria. Beber grandes cantidades de líquido es el factor primordial en el tratamiento de infecciones urinarias. Se deben beber tres litros de líquido por día para erradicar las bacterias nocivas. Es conveniente alternar una taza de infusión de hierbas con un vaso de vinagre de manzana y miel.
Bronquitis, tos, resfríos. Efectuar inhalaciones con vinagre de manzana dos veces al día y aplicar vendas en la zona del pecho (tibias en caso de estados crónicos y frías para trastornos agudos; ver página 160). Además, beber tres vasos del refresco de vinagre de manzana y miel por día.
Dolor de garganta. Tan pronto como se detecten los primeros síntomas, deben efectuarse gárgaras con una mezcla de dos cucharadas de agua y una cucharada de vinagre de manzana con la mayor frecuencia posible. Beber tres vasos del refresco de vinagre y miel por día, y aplicar vendas húmedas y tibias en la zona de la garganta dos veces al día (ver página 159).

LESIONES PRODUCIDAS POR DEPORTES Y REUMATISMO

Una mezcla de agua mineral, vinagre de manzana y miel es ideal para quitar la sed después de practicar cualquier tipo de actividad deportiva. Contiene las cantidades justas de todos los minerales importantes que se pierden al hacer ejercicio y así se previenen deficiencias minerales que podrían provocar calambres en los músculos.

Con vinagre de manzana puede tratarse fácilmente una gran cantidad de lesiones de este tipo. En forma periódica, permite reducir la hinchazón, alivia los dolores en articulaciones, por reumatismo o artritis, y aumenta la flexibilidad.

Refresco deportivo. Agregar dos cucharadas de vinagre de manzana y una cucharada de miel en un vaso grande de agua mineral.

Dolores en las articulaciones y reumatismo. Beber dos vasos de vinagre de manzana y miel por día durante un tiempo prolongado. Aumentar la cantidad en casos graves. Tratar la inflamación aguda de las articulaciones diariamente con vendas frías aplicadas en la región afectada. En caso de enfermedades crónicas, aplicar al menos una venda tibia por semana. Practicar gran cantidad de ejercicio para evitar la falta de flexibilidad en las articulaciones.

Moretones. Aplicar una venda fría con vinagre de manzana en forma inmediata para reducir la hinchazón (ver página 157). Repetir la operación si fuera necesario.

Luxaciones y distensiones. Las lesiones deportivas que responden a la falta de precalentamiento pueden tratarse con vendas húmedas y tibias (ver página 158), con vinagre de manzana.

MALESTARES FEMENINOS

Algunos minerales presentes en el vinagre de manzana, tales como el potasio, el calcio y el magnesio, desempeñan un papel importante en el metabolismo muscular y el alivio del dolor. Por eso, el vinagre de manzana es un tratamiento eficaz contra los calambres menstruales provocados por dolorosas contracciones de los músculos del útero. La ingesta periódica contribuye a proporcionar algunos de los minerales que el cuerpo necesita en grandes cantidades durante el embarazo. También puede aliviar las náuseas que se sufren con frecuencia durante los primeros tres meses.

El uso externo permite evitar infecciones vaginales. Los lavados vaginales con vinagre y agua alivian picazones o irritaciones leves de las membranas mucosas vaginales.

★ ***Importante***: si los síntomas continúan durante varios días, debe consultarse al ginecólogo. Podría existir una enfermedad seria que requiera un diagnóstico y un tratamiento adecuados.

Dolor menstrual. Beber al menos un vaso del refresco de vinagre de manzana y miel en forma periódica.

Mareos matutinos durante el embarazo. Beber un vaso del refresco de vinagre de manzana y miel en ayunas.

Infección vaginal. Efectuar lavados vaginales de partes iguales de vinagre de manzana y agua tibia dos veces al día. Es posible utilizar jeringas de plástico grandes que pueden adquirirse en farmacias.

VENAS DÉBILES

Este es un estado en que la circulación sanguínea se ve afectada dado que las paredes de las venas han perdido su tonificación y elasticidad naturales. Esto provoca várices. Debido a sus propiedades astringentes y antiinflamatorias, el vinagre de manzana es efectivo para el tratamiento de piernas hinchadas, várices e incluso hemorroides.

Várices, piernas hinchadas. Aplicar vendas frías en las piernas (ver página 161) o efectuar baños (página 164) o lavados (página 168) de los pies en forma periódica con vinagre de manzana, en especial cuando se sufren síntomas agudos.

La constipación y los esfuerzos durante las deposiciones intestinales pueden agravar las hemorroides.

Hemorroides. En caso de sufrir hemorroides dolorosas en forma frecuente, realizar baños de asiento con agua tibia y vinagre de manzana o manzanilla seca (ver página 163). Para síntomas agudos, puede aplicarse un trozo de algodón embebido en vinagre de manzana para reducir la hinchazón y aliviar el dolor.

MALESTARES DIGESTIVOS

El vinagre de manzana promueve el desarrollo de la flora intestinal. Esto lo convierte en un remedio eficaz y de acción rápida en caso de gases abdominales, dolores estomacales, sensación de pesadez estomacal, náuseas y calambres abdominales provocados por una digestión lenta. Si los síntomas persisten o resultan recurrentes, es posible que el tratamiento sea de gran ayuda. En caso de diarrea, el vinagre de manzana actúa como agente antibacteriano y al mismo tiempo, repone los minerales que haya eliminado el organismo. Sin embargo, no se debe agregar miel en este caso, ya que posee cierta tendencia a causar diarrea.

★ ***Importante***: Es necesario asegurarse de que el médico haya descartado la posibilidad de que los síntomas sean causados por desórdenes intestinales crónicos tales como enteritis regional o colitis ulcerosa.

Gases abdominales, pesadez estomacal, náuseas. Beber un vaso del refresco de vinagre de manzana y miel antes de cada comida.

Diarrea. Beber una mezcla de dos cucharadas de vinagre de manzana y un vaso de agua mineral varias veces al día.

Constipación. Beber varios vasos de bebida de vinagre de manzana y miel tibio todos los días. Las vendas tibias con vinagre en la zona abdominal (ver página 160) también pueden ayudar.

PROBLEMAS CUTÁNEOS Y CAPILARES

El vinagre de manzana también resulta beneficioso cuando se aplica en forma externa. Mejora la circulación de la sangre por la piel, ayuda a erradicar sarpullidos provocados por alergias, alivia la picazón y reduce la hinchazón de las picaduras de insectos. La buena circulación de la sangre por la piel facilita la eliminación de productos derivados metabólicos y toxinas ambientales del organismo. Como consecuencia, la piel parece más saludable y mejora visiblemente el acné. El vinagre de manzana diluido refresca las quemaduras menores, tales como las del sol, alivia el dolor y ayuda a evitar cicatrices. Su aplicación periódica suaviza la piel y le otorga un brillo saludable. El cabello, además, se torna más suave, adquiere mayor brillo y resulta más fácil de peinar. El enjuague periódico con vinagre de manzana parece retrasar la aparición de las canas.

Sarpullidos alérgicos. Mezclar partes iguales de vinagre de manzana y agua fría, agregar una pequeña cantidad de miel y aplicar la mezcla en la región afectada varias veces al día. Para obtener un resultado óptimo, embeber un trozo de algodón con la mezcla, colocarlo sobre la región afectada y asegurarlo con cinta adhesiva.
Picaduras de insectos. Aplicar una venda fría con vinagre de manzana sobre la región hinchada. Para picaduras menores, sumergir un paño o trapo pequeño en vinagre de manzana diluido, escurrir el excedente de líquido y colocarlo sobre la región afectada.
Acné. Dos veces por semana, efectuar baños faciales, seguidos de enjuagues con una mezcla de vinagre de manzana y agua fría en partes iguales para cerrar los poros.
Quemaduras de sol leves. Refrescar la región afectada una y otra vez con compresas con vinagre de manzana (ver página 162). Un baño de agua tibia, con 250 ml de vinagre agregado al agua, también alivia las quemaduras.
Cabello quebradizo y castigado. Mezclar una parte de vinagre de manzana con una parte de agua tibia y aplicar sobre el cabello recién lavado y húmedo. Dejar actuar durante unos minutos y luego enjuagar bien.

HIERBAS Y ESPECIAS

ALIMENTOS SANOS Y SABROSOS

Apicius, un famoso cocinero de la antigua Roma, utilizaba algunas de las mismas especias que se utilizan en la actualidad, aunque efectuaba combinaciones diferentes. Sin embargo, condimentar las comidas no era el único propósito del uso de especias. Algunas de ellas desempeñaban un papel importante en ritos religiosos mientras que otras servían como medicamentos.
Las especias también eran consideradas como símbolo de riqueza. Su costo era elevado, ya que se importaban desde lugares muy lejanos y se encontraban gravadas con altos impuestos. Los príncipes y mercaderes adinerados, que utilizaban grandes cantidades de especias para demostrar su poder, eran conocidos como "sacos de pimienta". Se cree que para el banquete de bodas del rey Carlos de Borgoña, alrededor del siglo XV, los cocineros utilizaron más de 180 kg de pimienta. Catalina de Médici puso fin a esta tendencia. Utilizó sus influencias como miembro de la corte real francesa para promover la idea de que las especias no debían prevalecer sobre los sabores naturales de los alimentos. Este hecho marcó el comienzo de la "cocina francesa" actual.

EL CULTIVO DE HIERBAS

Es necesario proteger las hierbas del viento.

Es posible cultivar hierbas comestibles en huertas o, a menor escala, en patios o terrazas. En cualquier caso, necesitarán lugares soleados para prosperar. Las plantas cultivadas en jardines de terraza requieren un mayor riego dada la mayor exposición a la luz del sol, pero obtendrán un excelente desarrollo.
Incluso el hecho de no poseer una huerta o patio no implica que no puedan cultivarse hierbas comestibles. Las plantas perennes, tales como la melisa, la lavanda, el laurel, el romero, la salvia y el tomillo, también prosperan en forma adecuada en macetas que reciban la luz directa del sol.

MODO ADECUADO DE PLANTAR LAS HIERBAS. Al adquirir las semillas o plantines, es necesario asegurarse de que sean de buena calidad. Los plantines o semillas demasiado pequeños se encuentran con frecuencia contaminados con gérmenes o plagas, que pueden propagarse en la huerta.

★ ***Importante***: Asegurarse de que las semillas estén lo suficientemente espaciadas como para desarrollarse, y podar las plantas antes de que alcancen demasiada altura. Al transplantar los plantines, es necesario otorgarles el espacio suficiente para que se desarrollen.

CUIDADO ADECUADO. Es posible que no sea necesario utilizar fertilizante alguno en la huerta si el suelo es abonado en forma adecuada dos veces al año, en general, a mediados de la primavera y una vez más en el otoño. Sin embargo, las hierbas cultivadas en macetas requieren fertilización en forma periódica cada tres semanas ya que sus raíces se encuentran confinadas a un lugar demasiado pequeño y la tierra de las macetas proporciona solo cantidades limitadas de nutrientes. Los fertilizantes orgánicos son la mejor opción.
En primavera, cortar las varas secas de las perennes. Una gran cantidad de hierbas, tales como el laurel y el romero, son anuales, y deben transplantarse y llevarse a exteriores antes de la primera helada. Podrán resistir el invierno en buena forma si se les otorga el espacio suficiente y se las riega escasamente.

Las hierbas frescas aportan sabores deliciosos a las comidas y por eso, su cultivo vale realmente la pena.

CONSERVACIÓN ADECUADA

Las hierbas frescas son abundantes a lo largo del verano. Algunas plantas, como la albahaca y el cebollín, pueden cultivarse en macetas durante los meses de invierno. La mayoría de las demás hierbas deben cosecharse hacia fines del otoño y conservarse congeladas, secas o mediante otros métodos. Congelar las hierbas es la mejor forma de conservar su sabor.

Una vez descongeladas, las hierbas deben utilizarse lo antes posible.

CONGELACIÓN. La mayoría de las hierbas, tales como el perejil, la albahaca, el eneldo, el estragón, el cebollín, la melisa y el tomillo pueden congelarse. Luego de picar las hierbas frescas, es necesario colocarlas en cubeteras y llenarlas con agua. Retirar los cubitos de hielo y colocarlos en recipientes de mayor tamaño o bolsas para freezer. También es posible congelar las hierbas enteras. Envolverlas en papel de aluminio y ejercer presión sobre el mismo antes de utilizarlas.

SECADO. Las hierbas comestibles también pueden secarse. Es conveniente llevar a cabo este procedimiento en un cuarto oscuro. Atar las hierbas en ramos y colgarlas para que puedan secarse bien en lugares ventilados. Las hierbas secas conservan su sabor durante aproximadamente un año.

CONSERVACIÓN EN SAL, AL ESTILO ITALIANO. Colocar hierbas frescas, tales como la albahaca, en capas dentro de frascos o recipientes. Rociar cada capa con sal y llenar el recipiente con la cantidad de aceite de oliva suficiente como para cubrir las hierbas por completo. Conservar cerrado en forma hermética en el refrigerador.

CONSERVACIÓN EN ACEITE O VINAGRE. Cortar las hierbas frescas en trozos pequeños, colocarlas en frascos de vidrio y llenar los recipientes con vinagre de vino o aceite.

USO ADECUADO

ANÍS

- De semillas dulces y sabrosas; combina muy bien con el jengibre, el clavo, la nuez moscada y la vainilla.
- Estimula el apetito, alivia la indigestión y los calambres, detiene la secreción mucosa, estimula la segregación de jugos gástricos.
- Es, en especial, adecuado para preparar todo tipo de panes, frutas hervidas, verduras, platos asiáticos con carne, mezclas de té utilizadas para la tos.

ALCARAVEA

- De semillas de color marrón oscuro y forma abultada, sabor delicado y aromático; combina muy bien con el ajo, la cebolla y el chile.
- Antídoto excelente para gases; estimula la segregación de jugos gástricos y bilis; y contribuye a una mejor digestión de los lípidos; alivia los calambres.
- Ingrediente importante del té para el estómago y la vesícula biliar; ideal para condimentar comidas que tienden a provocar indigestión.

AJÍ CHILE

- De semillas rojas frescas, secas o en vinagre, muy picantes; al no poseer sabor propio, pueden combinarse con cualquier otra especia.
- Estimula el apetito, ayuda a la digestión y mejora la circulación de la sangre.
- Como verdura o especia para carnes, sopas y salsas; para mejores resultados, cocinar junto con los demás ingredientes; no agregar demasiado (medio ají cada cuatro porciones).

Puede cultivarse en macetas y utilizarse fresco incluso en invierno.

CEBOLLÍN

- De hojas tubulares y sabor delicado, aromático y refrescante; combina muy bien con otras hierbas frescas.

- Rico en vitamina, estimula el apetito y ayuda a la digestión; reduce levemente la presión sanguínea elevada.
- Utilizado como sustituto de la cebolla en quesos suaves untables y mantecas con hierbas, en sopas y ensaladas.

CLAVOS

- Capullos secos de sabor y aroma intenso y aromático; combinan muy bien en especial con el cardamomo y la canela; también pueden combinarse con hojas de laurel, pimienta y cebolla.
- Contribuyen a la digestión, actúan como antiséptico y alivian el dolor.
- Pueden masticarse para tratar gingivitis, utilizarse como refrescante del aliento luego de haber comido ajo y como condimento en platos con carnes, pescados, repollo colorado, compotas de frutas y escabeches.

ENELDO

- De hojas frescas y sabor intenso, delicadamente dulce y aromático; el sabor de las semillas se asemeja a las de alcaravea; puede combinarse con todas las hierbas frescas pero es mejor utilizarlo solo.
- Muy rico en vitamina C, estimula el apetito, alivia calambres leves, estimula la producción de leche durante la lactancia.
- Utilizado en mezclas de tés para estimular la producción de leche; sus hojas pueden agregarse en ensaladas, pescados, salsas blancas y escabeches; las semillas se utilizan de igual forma que las de alcaravea.

HINOJO

- De hojas frescas de sabor similar al eneldo; combina muy bien con eneldo, ajo, perejil y cebolla; las semillas poseen un sabor similar al del anís, aunque no son dulces.
- Alivia la indigestión y los calambres, detiene la secreción mucosa.
- Utilizado principalmente para aliviar la indigestión y los gases en infantes; se utiliza además, como ingrediente en tés para tratar la tos; las semillas pueden emplearse para preparar panes, pasteles y galletas, y también en sopas.

BERRO

- Con brotes jóvenes de sabor picante que se asemejan a la radicheta; dado su peculiar sabor, lo mejor es utilizarlo solamente con pimienta y cebolla.
- Estimula el apetito, contribuye a la digestión y a la función renal, y actúa como diurético.
- Puede utilizarse en ensaladas, agregarse como hierba a quesos untables y mantecas, utilizarse como condimento para pescados y sopas o colocarse sobre panes untados con manteca.

JENGIBRE

La raíz de jengibre puede conservarse colocando la raíz sin piel en un frasco con jerez seco o ron blanco.

- De raíz fresca, en vinagre (o, si fuera necesario, seca) de sabor penetrante, levemente dulce y picante; combina muy bien con el cardamomo, el cilantro, el clavo y la canela.
- Estimula el apetito, detiene la secreción mucosa y promueve la transpiración.
- Utilizado como condimento en platos hindúes, para carnes, ensaladas, pasteles y compotas de frutas; debe cocinarse junto con las comidas.

RÁBANO PICANTE

- De raíces con sabor picante, similar al de la mostaza; es conveniente combinarlo solamente con ajo, pimienta y cebolla.
- Estimula la secreción de bilis y así ayuda a digerir los lípidos; posee fuertes propiedades antibióticas.
- Utilizado en cataplasmas para tratar neuralgias y artritis reumática; se emplea en preparados comercializados para infecciones del tracto respiratorio y urinario; condimento ideal para platos con carnes y pescados; no cocinar con las comidas.

ENEBRO

No ingerir durante el embarazo o en casos de enfermedades renales.

- De frutos secos y carnosos con sabor amargo, resinosos; la mejor combinación se obtiene con otras hierbas tales como el hinojo, el ajo, el laurel, la mejorana y el perejil.
- Estimula el apetito, alivia la indigestión y actúa como diurético; contribuye a la función renal.
- Purificador de la sangre cuando se sufren trastornos cutáneos, gota o reumatismo; condimento ideal para chucrut, carnes y pescados; en licores de hierbas y gin; cocinar con las comidas.

MELISA

La melisa atrae abejas.

- De hojas frescas o secas de sabor refrescante y similar al limón; puede combinarse con otras hierbas frescas.
- Estimula el apetito; alivia los gases abdominales; posee propiedades relajantes; reduce los calambres abdominales; actúa como antiviral.
- Utilizada en casos de indigestión nerviosa y enfermedades cardíacas nerviosas (astenia neurocirculatoria); como ingrediente en infusiones calmantes y ungüentos utilizados para tratar herpes labial; condimento para ensaladas, platos dulces y licores (licor de melisa).

MEJORANA

- De hojas frescas o secas de sabor fuerte y similar a la menta; combina muy bien con salvia y romero, pero no con orégano.
- Estimula el apetito, ayuda a digerir los lípidos, alivia los gases y calambres leves.

- Utilizada como ingrediente en infusiones que estimulan el apetito y en ungüentos para tratar resfríos en infantes; combate los gases; se utiliza principalmente como condimento en comidas con alto contenido graso tales como carnes asadas, guisos y salchichas.

Combinar la mejorana solamente con otra especia por vez.

ARTEMISA

- De semillas secas y sabor suave, levemente amarga; combina muy bien con cebolla, ajo y pimienta.
- Estimula el apetito y la producción de jugos gástricos y bilis, ambos necesarios para digerir lípidos.
- Puede utilizarse como ingrediente en mezclas para infusiones utilizadas para tratar malestares estomacales y de la vesícula biliar, como especia para carnes de alto contenido graso o para platos sobre la base de verduras.

No utilizar la artemisa durante el embarazo.

MOSTAZA

- Las semillas negras de mostaza poseen un sabor picante y aromático; combina muy bien con ajo, laurel, perejil, cebolla y una gran cantidad de hierbas frescas.
- Estimula el apetito, la producción de saliva y mejora la circulación de la sangre; combate bacterias y hongos; ayuda a la digestión de alimentos de alto contenido graso.
- Puede utilizarse en polvo en cataplasmas para aliviar el malestar de los dolores de garganta, músculos tensos, gota, osteoartritis y ciática; las semillas se utilizan para verduras en escabeche; los extremos de los brotes frescos pueden agregarse a ensaladas.

PEREJIL

- De hojas y raíces de sabor levemente dulce a picante y aromático; combina muy bien con casi todas las demás hierbas.
- De hojas frescas ricas en vitaminas A y C; estimula el apetito y el sistema circulatorio; promueve la producción de jugos digestivos; mejora la función renal.
- Las semillas de perejil se utilizan en infusiones diuréticas; la tintura alivia otitis y reumatismo; es un condimento universal para ensaladas, quesos untables, verduras, papas, carnes y sopas; es parte de una gran cantidad de mezclas de hierbas.

MENTA

- De hojas frescas de sabor levemente dulce, fuerte y refrescante; al utilizarse en combinación con otras hierbas, agrega un toque refrescante a comidas y bebidas.
- El mentol presente en las hojas actúa como agente antibacteriano y alivia el dolor y los calambres leves; estimula el apetito y la secreción de bilis y jugos gástricos.

- Utilizada como ingrediente en infusiones para el estómago y los intestinos para aliviar dolores de estómago, náuseas, indigestiones, sensación de pesadez estomacal, dolores de vesícula biliar, dolores de cabeza, insomnio y nerviosismo; condimento ideal para carnes; no debe cocinarse ya que tiene mejor sabor fresca.

ROMERO

Utilizar romero solamente en forma espaciada durante el embarazo.

- De agujas y pequeñas espigas de sabor aromático y amargo; combina muy bien con ajo, tomillo y perejil.
- Sus aceites volátiles y taninos estimulan el apetito y los sistemas circulatorio y nervioso.
- Utilizado como infusión en baños para tratar agotamiento y debilidad asociados con el envejecimiento; condimento para guisos y carnes asadas.

SALVIA

- De hojas frescas o secas de sabor levemente picante, amargo y aromático; debido a su sabor característico, es conveniente utilizarla solo en combinación con ajo, pimienta y cebolla.
- Ayuda a la digestión, actúa como antiinflamatorio; reduce la transpiración; fortalece los nervios.
- Utilizada en gárgaras para aliviar dolores de garganta y tratar infecciones; como condimento para sopas, guisos y carnes.

AJEDREA

- De tallos y flores frescos o secos, de sabor fuerte y amargo; combina muy bien con laurel, perejil, romero, cebolla.
- Estimula la secreción de jugos gástricos, alivia los calambres y detiene la secreción de mucosa. Se combina con otras infusiones para tratar malestares estomacales.
- Especia para carnes de caza y legumbres o para guisos rápidos y sencillos de porotos.

TOMILLO

No utilizar grandes cantidades de tomillo durante períodos prolongados.

- De hojas frescas o secas o brotes jóvenes que poseen un sabor fuerte y aromático que combina muy bien con laurel, perejil, ajo y cebolla.
- Sus aceites volátiles alivian calambres; es útil como agente antiséptico y expectorante; estimula el apetito y la secreción de jugos gástricos.
- Se utiliza en infusiones para la tos y bronquitis; alivia gases y calambres abdominales; utilizado como condimento para carnes, guisos y verduras tales como tomates, hongos y berenjenas.

TÉ VERDE

MILAGRO CURATIVO DE LA CHINA

Aún se desconoce quién fue el primero en preparar el té con hojas de la planta. La leyenda nos cuenta que fue el emperador chino Shen Nung, también conocido como el "padre de la medicina", quien descubrió por casualidad cómo preparar el té mientras viajaba de cacería, hace aproximadamente 5000 años. Se encontraba hirviendo agua para beber cuando unas hojas de una planta de té cayeron en el recipiente. El agua adquirió un matiz dorado y desprendió un aroma agradable. Cuando el emperador lo bebió, quedó maravillado por su sabor y se sintió relajado y revigorizado de forma inmediata.

De remedio a refresco popular.

En China, las plantas de té se cultivaban originariamente solo con fines medicinales, en los jardines de los monasterios. Debió transcurrir bastante tiempo antes de que se hiciera popular entre la gente como alternativa razonable de costo reducido a los brebajes fermentados.
Hace aproximadamente 1000 años el té verde surgió en el Tíbet y en Japón; durante el siglo XVII, se abrió camino a través de Rusia e Inglaterra, donde la mayoría de los miembros de la aristocracia aprendieron a disfrutarlo. A mediados del siglo XIX, el té negro fermentado y cultivado en plantaciones de las colonias inglesas reemplazó al té verde en Europa. Durante los últimos años, sin embargo, el té verde ha vuelto a tener auge ya que es de digestión sencilla y proporciona varios beneficios para la salud.

CARACTERÍSTICAS DE LA PLANTA DE TÉ

Tanto el té verde como el negro se preparan con las hojas de la planta de té *(Camellia sinensis, Thea sinensis)*, un árbol siempreverde que puede crecer hasta aproximadamente los 15 m de altura. Sus hojas de bordes aserrados de color verde oscuro poseen una textura rugosa, y la planta brinda flores blancas o rosadas de perfume muy agradable.

Flores y frutos de la planta de té.

Principales variedades: existen más de 150 variedades de té verde, entre las que se encuentran algunas de sabores artificiales que, en general, son descartadas por aquellos expertos en la preparación del té. En el caso de aquellos que desean beber esta infusión dadas sus propiedades medicinales, pero que no les agrada su sabor amargo, existen variedades de alta calidad saborizadas con aditivos frutales naturales. Desde ya, es posible agregarle al té simplemente un poco de azúcar, miel o una pequeña cantidad de jugo de limón.

VARIEDAD	CARACTERÍSTICAS	COLOR Y SABOR
JAPÓN		
Bancha	Similar al Sencha; hojas de mayor tamaño, enrolladas; variedad clásica, muy popular.	Color verde brillante; sabor fresco y penetrante.
Genmaicha	Especialidad preparada con Bancha y arroz moreno no pulimentado y tostado.	Levemente marrón, levemente granulado, de sabor dulce.
Gabalong	Excelente calidad; se lo considera un té para la salud.	Muy aromático.
Kokaicha	En polvo, hojas apisonadas.	Color amarillo brillante, fresco, sabor aromático.
Matcha	Se utiliza en ceremonias japonesas; arbustos cultivados a la sombra de árboles caducifolios; debe revolverse ligeramente con una vara de bambú después de preparado; relativamente alto en cafeína.	Sabor amargo.
Sencha	Es el de mayor popularidad en Japón; existen tres calidades: superior, medio e inferior.	Infusión de color amarillo verdoso; aromática, fresca, de sabor suave.
CHINA		
Pekoe verde	Preparado con la yema y las dos primeras hojas que aparecen en primavera; hojas delgadas y enrolladas.	Color verde brillante; sabor fresco.
Gunpowder	Hojas enrolladas formando esferas, que se abren al preparar la infusión; contenido muy alto de cafeína.	Color amarillo verdoso, sabor fresco y amargo, muy estimulante.
Gu Zhang Mao Jian	Solo se cosechan las hojas más tiernas diez días al año; levemente fermentado.	Liviano, sabor levemente dulce.
Ju Hua Cha	Es una exquisitez: se sujetan 50 brotes jóvenes para formar una rosa de té que se abre en la taza y al agregar el agua caliente, de sabor intenso.	Color amarillo claro; sabor suave.
Lung Ching	Uno de los mejores tés de China, hojas largas y aplanadas.	Color verde esmeralda, té liviano, suave, de sabor levemente dulce y agradable, efecto refrescante.
Oolong	Muy preciado ya que es semifermentado (la parte más interna de las hojas no fermenta); té entre verde y negro.	Sabores diversos de acuerdo con la variedad.
Young Hyson	Cosechado de plantas de té salvajes; hojas gruesas enrolladas hasta obtener una forma alargada y delgada.	Sabor aromático, estimulante, suave.

CULTIVO Y COSECHA

Cada año, se producen aproximadamente 2,5 millones de toneladas de té en todo el mundo. El 20% de esta cantidad es té verde. Se cultiva principalmente en el sur de Asia y en Asia oriental, pero también en América del Sur y al este de África, y en los estados que anteriormente conformaban la Unión Soviética, Turquía e Irán. China y Japón producen principalmente té verde. El té cultivado en la India y Sri Lanka es típicamente negro.

La India posee el 30% de la producción mundial de té.

Las plantas obtienen un mejor desarrollo en zonas elevadas de clima cálido y húmedo. Para facilitar la cosecha, se cultiva en forma de arbusto. Las hojas, que aún continúan recolectándose en forma manual, se vaporizan, se enrollan y se secan en forma inmediata después de la cosecha. De esta manera, las enzimas no se alteran y puede conservarse tanto el contenido químico como su color. En China, incluso el té verde con frecuencia se fermenta levemente y luego se tuesta, lo que otorga a la preparación o infusión un matiz anaranjado. Por el contrario, el té verde japonés posee un color más verdoso.
A diferencia de este té, las hojas utilizadas para preparar el té negro se dejan marchitar levemente antes de enrollarlas y dejar que fermenten en condiciones muy húmedas. Este proceso, provocado por las enzimas de las hojas, les otorgan un color marrón rojizo y luego negro, después de haberlas secado. Este proceso permite que la cafeína contenida en el té sea absorbida con rapidez por el cuerpo, con un efecto más estimulante. Por desgracia, algunos de los ingredientes activos de importancia también se destruyen y el té deja de ser útil como remedio, para ser solamente un refresco.

EL VERDADERO VALOR DEL TÉ VERDE

Quizás la propiedad medicinal más impresionante del té verde deriva de sus dos constituyentes químicos, tanino y catequina, ambos antioxidantes muy eficaces que incluso superan la vitamina E. Los antioxidantes permiten retardar el efecto del paso del tiempo en el cuerpo, evitan el desarrollo de células cancerígenas y protegen el organismo de los efectos perjudiciales de los rayos ultravioletas. El té verde también es de gran beneficio para el sistema cardiovascular (arteriosclerosis). Además, actúa como anticoagulante y reduce los niveles perjudiciales de lípidos en sangre. Las enzimas del té pueden disminuir la presión sanguínea y reducir así el riesgo de ataques y paros cardíacos. También contribuye al funcionamiento y regeneración de las células en todo el organismo, es útil en el tratamiento de desórdenes en el metabolismo, tales como diabetes y gota, y fortalece el sistema inmunológico. El tanino presente en el té verde estimula el apetito y contribuye

Una plantación típica de té en la India.

Los constituyentes principales del té verde son el tanino, la cafeína, la catequina, las vitaminas y los minerales.

a una mejor digestión. Posee un efecto astringente sobre las membranas mucosas del tracto intestinal y así, alivia la diarrea. La cafeína se absorbe con menor rapidez, de forma tal que el efecto estimulante del té es más suave y prolongado que el del té negro.

LA CAFEÍNA ES BENEFICIOSA PARA EL ORGANISMO

La ingesta de cafeína en dosis adecuadas estimula el sistema nervioso central así como también la respiración, mejora el funcionamiento del corazón y alivia dolores de cabeza, migrañas y reumatismo. Las hojas pequeñas y jóvenes de la planta de té verde contienen una mayor cantidad de cafeína que las más maduras. Las personas que poseen presión arterial elevada deben elegir las variedades de té verde con niveles bajos de cafeína y evitar, dentro de lo posible, el té negro. El té verde es rico en minerales y microminerales, y por ello resulta beneficioso para la dentadura. Los niños que beben una taza de té verde a diario o que lo utilizan en forma periódica como enjuague bucal pueden reducir el riesgo de caries. También contiene zinc, un mineral necesario especialmente durante el embarazo, y una gran cantidad de vitaminas A y C, el complejo de vitaminas B y aceites volátiles.

EFECTOS COLATERALES NO DESEADOS

Una cantidad excesiva de té verde resulta perjudicial; puede provocar agitación, palpitaciones o ritmo cardíaco irregular. Como consecuencia de que grandes cantidades pueden perjudicar el hígado, deben tomarse las precauciones debidas si se sufre enfermedades hepáticas.

USO ADECUADO

Al comprar té, es conveniente elegir productos envasados al vacío y adquirir solo pequeñas cantidades para asegurar su frescura. El té verde pierde algunas vitaminas cuando es almacenado durante períodos prolongados. Es necesario conservarlo en latas especiales, en lugares frescos y secos.

TÉ

• Ingredientes: una tetera (que se utilice solo para té y que únicamente se la enjuague con agua caliente, nunca con detergente); agua y té.

• Modo de preparación: hervir un poco de agua y dejar enfriar durante cinco minutos. No verter nunca el agua hirviendo sobre el té verde. La temperatura ideal del agua es de entre 60 y 71 °C. Calcular una cucharadita de hojas de té por taza, colocar en la tetera y agregar agua caliente. No es conveniente utilizar cucharas especiales para té en hebras ya que las hojas se apelmazan demasiado. Las hojas deben esparcirse en forma adecuada en la tetera. Dejar reposar durante dos o tres minutos. Cuanto menor sea la espera, mayor será el efecto estimulante, mientras que si pasa más tiempo (más de cinco minutos), el té será más relajante.

CONSEJO: UTILIZAR LAS HOJAS PARA VARIAS PREPARACIONES

No debe prepararse nunca una mayor cantidad de té que la que va a consumirse en el lapso de una hora. Es posible dejar las hojas dentro de la tetera para volver a utilizarlas luego. De acuerdo con la variedad, las hojas de té verde pueden utilizarse hasta cuatro veces. Si no se utiliza la totalidad del contenido de la tetera en ese momento, es conveniente quitar las hojas o verter el té preparado en una segunda tetera precalentada para evitar que adquiera un sabor amargo.

Para obtener los mejores beneficios de las propiedades saludables, suaves y estimulantes del té verde, es aconsejable beber aproximadamente tres tazas colmadas por día. En caso de ser sensible a la cafeína, se lo debe dejar reposar durante un tiempo más prolongado y elegir variedades que contengan menos cafeína. También es posible descartar el primer té luego de haberlo dejado reposar un minuto. Teniendo en cuenta los gustos personales y los efectos que provoque dejar reposar el segundo y tercero durante aproximadamente tres minutos.

EL TÉ EN APÓSITOS Y COMPRESAS

RECETA

Verter un litro de agua caliente sobre cuatro cucharaditas de té verde y dejar reposar durante cinco minutos. Filtrar y dejar enfriar en el refrigerador.

BAÑO DE TÉ VERDE

Llenar la bañera con agua no demasiado caliente (por debajo de los 38 °C). Agregar un litro de té bien fuerte (que haya reposado durante aproximadamente diez minutos).

CASOS EN LOS QUE PUEDE UTILIZARSE

El té verde puede utilizarse para diversos propósitos, en especial, para prevenir enfermedades cardiovasculares, cáncer y deterioro dental.

PRINCIPALES APLICACIONES

TRASTORNOS	APLICACIONES SUGERIDAS
Diarrea	Beber al menos un litro de té verde.
Piel seca y cansada	Lavar con té verde, beberlo en forma periódica.
Eccemas; piel inflamada e irritada	Lavar con té verde; baño de té verde.
Gingivitis	Utilizar té verde como enjuague bucal.
Inmunodeficiencia	Beber té verde en forma periódica como medida preventiva.
Pérdida del apetito	Beber té verde media hora antes de las comidas.
Agotamiento físico	Beber hasta un litro de té verde (con miel, si se desea).
Dolor de garganta	Efectuar gárgaras con té verde.

ENFERMEDADES CARDIOVASCULARES Y CÁNCER

Su consumo puede contribuir a prevenir enfermedades cardiovasculares prematuras y cáncer. En caso de sufrir enfermedades cardíacas o cáncer, debe cumplirse con las órdenes del médico. El té verde puede acompañar el tratamiento médico tradicional.

Beber al menos dos o tres tazas por día.

VIGOR FÍSICO Y MENTAL

El té verde posee un efecto relajante y mentalmente estimulante. Mejora la concentración y el vigor. Beberlo es una forma natural para los atletas de desarrollar su estado físico y obtener los minerales necesarios para el organismo.

• ***Agotamiento mental y nervioso***

Beber dos o tres tazas por día. Es posible mejorar los beneficios del té mediante la práctica de una ceremonia personal del té.

• ***Agotamiento físico***

En el transcurso del día, beber aproximadamente un litro de té verde; agregar miel si se desea.

TRASTORNOS DEL APARATO DIGESTIVO

Los minerales que contiene el té verde pueden beneficiar a todo el organismo, empezando por la dentadura. Debido a su efecto astringente, alivia la inflamación de las membranas mucosas de la boca, el estómago y los intestinos. Estimula, además, el apetito, alivia la diarrea y permite reponer los minerales perdidos.

• ***Caries y gingivitis***

RECETA

Beber dos o tres tazas por día o utilizarlo como enjuague bucal. Enjuagar varias veces al día, en especial antes de ir a dormir. Este tratamiento se encuentra altamente recomendado para los niños.

• ***Pérdida del apetito***

Beber una o dos tazas media hora antes de las comidas.

• ***Diarrea leve***

Beber al menos un litro de té verde.

DOLOR DE GARGANTA

Beber este té fortalece el sistema inmunológico, y por eso consiste en una forma excelente de reponer fluidos cuando existen resfríos. Los taninos que contiene alivian el dolor de garganta.

Al primer síntoma de dolor de garganta, efectuar gárgaras con té verde bien fuerte durante cinco minutos.

LA PIEL

Debido a sus propiedades antioxidantes, el té verde permite retardar el proceso de envejecimiento de la piel y ayuda a conservar su humedad. Su uso interno permite que los ingredientes activos mejoren la salud de la piel desde dentro, haciéndola más resistente a los agentes externos. Su uso externo permite fortalecer la capa protectora, protegerla contra ácidos y reducir la inflamación. Los taninos son responsables de su efecto astringente y lo convierten en un ingrediente cada vez más utilizado en cremas para el cutis.

• ***Eccemas; piel inflamada e irritada***

Lavar la región afectada con té fuerte. Tomar un baño de té verde una vez a la semana.

• ***Quemaduras del sol***

Aplicar compresas varias veces al día.

• ***Piel seca y cansada***

Lavar el rostro con té verde fresco por las mañanas y noches, en la medida de lo posible. Lavar todo el cuerpo con té verde frío cada mañana.

REMEDIO Y NUTRIENTE DE SABOR DULCE

La miel permite evitar la mayoría de las afecciones.

La miel es mucho más que un simple alimento sabroso. Es un tónico que fortifica el cuerpo, lo hace más resistente a todo tipo de enfermedades y se la puede utilizar como remedio para el tratamiento de una gran cantidad de afecciones. No es aconsejable para personas con diabetes. Desde su descubrimiento, ha sido un alimento muy preciado. Existen antecedentes de personas que comenzaron a recolectar miel desde tiempos prehistóricos. Una pintura de 16.000 años de antigüedad, en la provincia española de Valencia, muestra a una niña quitando un panal de una colmena ubicada en una grieta, rodeada de un grupo de abejas. Los antiguos griegos solían beber hidromiel, una bebida fermentada preparada con miel y agua. Más tarde se descubrió que las heridas sanaban con mayor rapidez si se aplicaba un ungüento a base de miel y arcilla sobre ellas. La miel también ha sido utilizada por diversas culturas para tratar infecciones y enfermedades oculares y pulmonares. Incluso se cree que mejora la potencia sexual. No se debe suministrar miel a los infantes menores a un año ya que existe una pequeña posibilidad de que la miel pueda provocar botulismo.

Colmenas donde las abejas almacenan la miel.

ELABORACIÓN

Las abejas utilizan ya sea néctar, un líquido dulce producido por las plantas florecidas, o ligamaza de los bosques para fabricar la miel. La ligamaza puede encontrarse en las hojas y agujas de los árboles. Los insectos que habitan en los árboles, tales como los pulgones –cuya dieta consiste en hojas y agujas–, excretan el líquido azucarado. Mediante la utilización de los probóscides, las abejas recolectan el néctar y la ligamaza, los mezclan con enzimas y los llevan de regreso a la colmena. Allí, regurgitan la mezcla y la entregan a las abejas de la colmena, quienes le agregan saliva y más enzimas. La miel cruda resultante se coloca en los panales donde, gracias a la evaporación, adquiere consistencia. Después, el apicultor extrae la miel del panal mediante una máquina centrífuga.

EL VERDADERO VALOR DE LA MIEL

El contenido, el sabor, la consistencia, el color y el perfume de la miel varían de acuerdo con el tipo. Contiene principalmente fructosa y dextrosa o glucosa; la glucosa se absorbe con rapidez en la sangre y proporciona un golpe de energía inmediato. Sin embargo, la fructosa se almacena en el hígado para ser utilizada más tarde. A diferencia del azúcar refinada, la miel no proporciona solamente calorías vacías sin nutrientes útiles. Contiene enzimas necesarias para la síntesis de ciertos inhibidores que, junto con otros componentes químicos activos presentes, evitan el desarrollo de bacterias y hongos. Posee un nivel reducido de ácidos, una propiedad que permite mejorar su efecto antibacteriano. La miel no es una fuente principal de vitaminas y minerales. Proporciona solo pequeñas cantidades de diversas vitaminas B, sodio, calcio y magnesio. Sin embargo, es rica en microminerales, en especial, en hierro y zinc. También contiene varios constituyentes que se asemejan a las hormonas. Uno de ellos, la acetilcolina, promueve la absorción de glucosa en los músculos y regula además la presión arterial y el ritmo cardíaco.

La miel no solo proporciona calorías vacías, sino una gran cantidad de nutrientes valiosos.

EFECTOS COLATERALES NO DESEADOS

La miel no posee efecto colateral alguno. Sin embargo, puede agravar diarreas y por ello, debe utilizarse solamente en forma espaciada en esos casos. El polen que contiene puede provocar, en casos aislados, reacciones alérgicas.

USO ADECUADO

Debido a la presencia de enzimas sensibles al calor, la miel no debe calentarse a más de 40 °C. En caso de cristalización, es posible licuarla a baño María. La miel es sensible a la luz y absorbe humedad y olores con facilidad. Por ello, es aconsejable almacenarla en recipientes herméticos en lugares oscuros.
La miel puede ingerirse sola, disuelta en té o en comidas.
★ ***¡Atención!*** No ingerir grandes cantidades de miel (dos a seis cucharaditas) de una sola vez. Es conveniente, en cambio, dividirla en varias dosis a lo largo del día. Dejar que se disuelva lentamente en la boca.
En Alemania, a veces se inyecta una miel especialmente preparada para proporcionar una fuente de energía inmediata. Este procedimiento debe ser llevado a cabo por un profesional calificado y solo una vez comprobado que el paciente no es alérgico al polen.
La miel procesada se encuentra presente en una gran cantidad de preparados comercializados tales como los jarabes para la tos.

Dejar que la miel se disuelva lentamente en la boca.

CASOS EN LOS QUE PUEDE UTILIZARSE

La miel actúa como tónico general, posee un efecto relajante sobre el sistema nervioso y el circulatorio, alivia los síntomas del resfrío y calma las irritaciones o infecciones cutáneas.

PRINCIPALES APLICACIONES

TRASTORNOS	APLICACIONES SUGERIDAS
Acné	Máscara facial; o aplicar sobre los granitos.
Alergias, asma	Tratamiento con miel.
Resfrío, gripe, bronquitis, tos, dolores de garganta	Ingerir sola o con té para los resfríos.
Constipación	Ingerir sola o disolverla en una infusión laxante.
Función cardíaca reducida	Ingerir en forma periódica.
Problemas digestivos	Ingerir sola o con una infusión digestiva.
Bajo rendimiento intelectual, falta de concentración	Tratamiento con miel.
Inmunodeficiencia	Tratamiento con miel.
Infecciones	Tratamiento con miel.
Lesiones y heridas	Aplicar miel.
Insomnio	Disolver miel en una infusión sedante.
Pérdida del apetito	Ingerir miel.
Nerviosismo	Tratamiento con miel; para casos agudos, ingerir miel sola.
Agotamiento físico o mental	Tratamiento con miel.

AGOTAMIENTO FÍSICO Y MENTAL

Alimento poderoso para aquellas personas débiles o para atletas.

La miel es un excelente tónico y energizante. Fortalece a aquellas personas que se encuentran agotadas, que sufren fatiga crónica o carecen de vigor. Un tratamiento con miel permite recuperar con gran rapidez la energía del paciente luego de una operación quirúrgica o una enfermedad prolongada. Los azúcares simples (monosacáridos) presentes son una fuente inmediata de energía para el organismo ya que son absorbidos de manera directa por la sangre en su forma original.

Otros ingredientes activos proporcionan una energía estable luego del primer golpe de energía.

En caso de sentirse débil y agotado, al igual que luego de una operación quirúrgica o una enfermedad prolongada, ingerir cuatro o más cucharaditas de miel en forma diaria hasta sentirse mejor. El eucalipto, el brezo, la menta y la mezcla de mieles florales son los mejores. En casos leves, una cucharadita cada mañana y cada noche es suficiente.

FUNCIÓN CARDÍACA REDUCIDA

La miel también posee un efecto fortificante y curativo sobre el corazón. Aumenta la circulación sanguínea a los vasos coronarios que transportan oxígeno y nutrientes al corazón. Proporciona acetilcolina que, a su vez, mejora el funcionamiento del corazón. Esto la convierte en un alimento en especial beneficioso para aquellas personas cuya función cardíaca se ve reducida debido al envejecimiento, a una enfermedad prolongada o al tabaquismo. La miel es además un tónico ideal para los ancianos.

Para efectuar el tratamiento, ingerir cuatro o más cucharaditas en forma diaria durante tres semanas. Si es posible, utilizar miel preparada con el néctar de las flores del espino. El eucalipto, el brezo, la menta o una mezcla de miel floral también son muy buenos. Luego de tres semanas, puede reducirse la dosis a una cucharadita por la mañana y otra por la noche.

INSOMNIO Y FALTA DE CONCENTRACIÓN

Las personas que con frecuencia se sienten irritadas, agotadas o estresadas y que sufren de insomnio o falta de concentración pueden obtener beneficios de la miel. Proporciona calcio, fósforo, magnesio y las "vitaminas nerviosas" del grupo B al organismo, que poseen un efecto relajante sobre el sistema nervioso.

• ***Nerviosismo***

Beber dos o tres tazas calmantes por día. Agregar una cucharadita de miel por taza. La miel de manzanilla o de naranja son las mejores.

• ***Insomnio***

Preparar una infusión calmante que promueva el sueño y agregar una cucharadita de miel, preferentemente de tilo, melisa o miel de naranja. Beber una o dos tazas media hora antes de ir a dormir.

Los utensilios de madera, facilitan la extracción de la miel del frasco.

INFECCIONES

La miel actúa como antibiótico general. Contiene inhibidores que eliminan bacterias y evitan infecciones. Puede utilizarse con facilidad como suplemento diario.

• ***Infecciones bacterianas***

En caso de resfrío, gripe, infección urinaria o cualquier otra enfermedad infecciosa provocada por bacterias, ingerir cuatro cucharaditas por día. En caso de fiebre o tos, utilizar miel de tilo si fuera posible. La miel de acacia, de brezo, de lavanda, de flor del repollo y de menta también son una buena opción. Sin embargo, debe tenerse en cuenta que estas clases no se venden ya preparadas y es probable que sea necesario obtenerlas por encargo.

Una vez erradicada la infección, ingerir una o dos cucharaditas por día durante tres semanas más para fortalecer el sistema inmunológico. En caso de bronquitis crónica, ingerir seis cucharaditas a diario durante cuatro semanas.

• ***Dolores de garganta, tos***

A menos que las vías respiratorias se encuentren muy congestionadas, beber lentamente un vaso de leche tibia con una cucharadita de miel. Con jugo de limón, también resulta excelente para aliviar dolores de garganta.

DESINTOXICACIÓN DEL ORGANISMO

La miel desintoxica mediante la estimulación de la producción de bilis y la función hepática. Así, contribuye a eliminar toxinas del organismo, fortalece el sistema inmunológico y mejora el estado general de salud.

RECETA

Efectuar el tratamiento en primavera y luego repetirlo en otoño. Ingerir dos o tres cucharaditas por día durante aproximadamente seis semanas. Es posible disolverla en dos o tres tazas de infusión de ortiga.

PROBLEMAS DIGESTIVOS

La miel se digiere con gran facilidad debido al hecho de que la mayoría de sus azúcares no necesitan descomponerse en los intestinos. Esto elimina la fermentación. Actúa como laxante suave, estimula el apetito y regula la producción de ácido gástrico. Su ingesta periódica alivia la indigestión nerviosa y la diarrea provocada por bacterias.

RECETA

Antes de las comidas y entre ellas, si fuera necesario, ingerir una cucharadita sola o disuelta en té para aliviar la indigestión. La miel de acacia, manzanilla y menta son las recomendadas para problemas digestivos.

ALERGIAS

Algunas personas sufren reacciones alérgicas a la miel o al polen presente en ella. Los síntomas incluyen diarrea, sarpullidos, fiebre del heno e incluso asma. Por otro lado, puede aliviar alergias, incluso aquellas provocadas por el polen. Ya que, al fortalecer el sistema inmunológico, permitiría evitarlas.

• Alergia al polen

Ingerir una cucharadita de mezcla de miel floral por día, preferentemente adquirida en los comercios de la zona. Proceder con cuidado y controlar las reacciones. Si los síntomas no empeoran dentro de unos días, continuar con una cucharadita de miel por día.

• Asma

Ingerir seis cucharaditas por día durante cuatro semanas.

HERIDAS, LESIONES E INFECCIONES LEVES

La miel también es buena para tratar heridas y lesiones. Contiene agentes antisépticos que permiten evitar la infección de las heridas. Tiende a atraer la humedad. Aplicada en las heridas, detiene la sangre y el fluido linfático, y promueve la curación. También posee un efecto refrescante y reduce el dolor.

• Cortes y heridas leves

Aplicar una capa abundante sobre la herida. La miel de la flor del repollo, de lavanda y de menta son las mejores. Cubrir la región afectada con un vendaje de gasa o, incluso mejor, permitir que se seque al descubierto.

• Piel infectada y manchada

Aplicar una capa abundante sobre la piel limpia del rostro. Retirar con agua una vez transcurrida media hora. Limpiar bien. Aplicar sobre los granitos varias veces por día. Además, ingerir una cucharadita por día, preferentemente de miel de acacia, de brote de repollo o menta.

LA MIEL Y LOS NIÑOS

Los bebés menores de un año de edad no deben ingerirla ya que su flora intestinal aún no es estable. Solamente en casos aislados puede provocar botulismo, un tipo de intoxicación que puede amenazar la vida del infante. La miel también puede aumentar el riesgo de alergias. Para todos los demás grupos generacionales es muy apropiada. Aumenta el apetito y protege contra desórdenes intestinales y enfermedades infecciosas; estimula la producción de sangre y proporciona diversos minerales. También aumenta el vigor y alivia los temores o fracasos por falta de concentración escolar. Desde luego, contiene una gran cantidad de azúcar, por ello los niños no deben olvidar cepillarse los dientes luego de ingerirla.

• Bajo rendimiento intelectual y falta de concentración

Los niños deben ingerir entre una y tres cucharaditas de acuerdo con la edad, pero es importante recordar que no debe suministrarse miel a bebés menores de un año.

KÉFIR Y KOMBUCHA

BEBIDAS MEDICINALES DE USO DIARIO

El kéfir y la kombucha son dos bebidas fermentadas que poseen un sabor refrescante; estimulan y promueven la belleza y la longevidad. Aunque hasta hace poco tiempo no eran muy conocidos, su uso se ha extendido al resto del mundo. Tanto el grano de kéfir como el hongo de kombucha fermentan los líquidos, la leche o el té, mediante microorganismos que se benefician unos con otros.

KÉFIR

En Europa central han sabido cómo fermentar la leche durante cientos de años. Hace algún tiempo atrás, los habitantes de las montañas del Cáucaso, donde tiene su origen el kéfir, recibieron atención internacional, ya que gran cantidad de ellos eran capaces de vivir hasta los cien años e incluso más. Alrededor de fines del siglo XIX se establecieron clínicas de kéfir en toda Rusia. Admitían pacientes con diversos malestares, tales como gastrointestinales, pulmonares y trastornos ginecológicos, raquitismo y anemia. Y también personas que necesitaban recuperarse de enfermedades prolongadas.

La combinación de kéfir y frutas resulta deliciosa.

KOMBUCHA

Esta bebida especial, preparada con té negro, verde o de hierbas, fue descubierta por un médico coreano de nombre Kombu, quien la utilizó para curar al emperador de Japón de una enfermedad estomacal alrededor del año 400 a. C.

De esta manera, la kombu-cha, es decir "té de Kombu", se hizo famosa en todo el mundo. Antes de la Segunda Guerra Mundial, era conocida y utilizada en gran medida en Alemania como bebida y remedio. Luego de haber caído en desuso durante algún tiempo, su popularidad aumenta cada vez más: Madonna, Daryl Hannah y Linda Evans beben un vaso de kombucha todas las mañanas o aplican trozos del milagroso hongo como máscara facial.

CARACTERÍSTICAS DEL KÉFIR Y LA KOMBUCHA

KÉFIR. El cultivo del kéfir es un organismo que se asemeja a una coliflor en miniatura. Posee granos suaves y de color blanco translúcido hechos de una sustancia cartilaginosa; se utiliza para convertir la leche de vaca, cabra u oveja en bebidas refrescantes y efervescentes. Los cultivos de kéfir alcanzan un tamaño que varía desde aproximadamente 1 cm de diámetro hasta el tamaño del puño de un niño. Son un efectivo microlaboratorio que consiste principalmente en bacterias de ácido láctico y levaduras. Los cultivos convierten la lactosa en ácido láctico y ayudan a descomponer la caseína, o proteína láctea, y la convierten en aminoácidos de fácil digestión produciendo vitaminas B, ácido carbónico y alcohol durante el proceso.

Cuanto mayor es el contenido del cultivo, más fuerte es el sabor del kéfir y más alto su valor nutricional.

KOMBUCHA. El "té de hongo" también es una simbiosis de bacterias ácidas y diversas levaduras. El hongo posee un color grisáceo y su aspecto es de un panqueque grueso cuya consistencia varía desde gelatinosa hasta dura y rugosa. Al convertirse en líquido, se esparce por toda la superficie de su huésped. Las bacterias provocan el crecimiento de celulosa gelatinosa. Utilizan los productos metabólicos de las levaduras para obtener energía, mientras las levaduras se alimentan de los productos bacterianos, denominados gelatina y ácido. Los microorganismos convierten el azúcar agregada al té en ácido acético, ácido láctico, alcohol y dióxido de carbono.

MODO DE PREPARACIÓN

KÉFIR. El cultivo de kéfir convierte la leche en una bebida gaseosa refrescante. De acuerdo con el tiempo de fermentación de la leche, la bebida resultante es levemente ácida o de sabor agrio. Con el cuidado adecuado, el cultivo continuará desarrollando pequeños gránulos que pueden separarse con facilidad del grano principal para utilizarse como nuevos iniciadores.

• ***Ingredientes:*** 20 gramos de cultivo de kéfir y un litro de leche pasteurizada, una jarra de vidrio con tapa de boca ancha.

• ***Modo de preparación:*** enjuagar la jarra con agua caliente, sin utilizar detergente. Verter la leche en la jarra y dejar espacio suficiente para el cultivo. Agregar el cultivo dentro de la leche y colocar la tapa. Guardar la jarra lejos de la luz a una temperatura de aproximadamente 25 °C (no mayor de 30 °C ni menor de 5 °C) durante uno o dos días. Agitar de tanto en tanto durante el proceso de fermentación. Una vez preparado, filtrar el kéfir con un colador para eliminar el cultivo. Se conserva fresco en el refrigerador durante catorce días. Si se desea obtener un kéfir con mucho gas, dejar que la mezcla fermente durante menos de 24 horas a una temperatura de aproximadamente 28 °C.

No enjuagar los cultivos. El ácido láctico residual actúa como conservante.

Los cultivos pueden almacenarse en agua destilada en el refrigerador durante aproximadamente veinte días.

A medida que se forman nuevas capas, pueden utilizarse como iniciadores.

KOMBUCHA. La kombucha convierte al té en una bebida refrescante levemente ácida, aromática y deliciosa que se asemeja en sabor a la manzana y ayuda a la digestión. De acuerdo con las condiciones de fermentación, tales como la temperatura del lugar, el período de permanencia en el té, el cultivo y la rapidez de sus efectos, puede poseer un sabor desde frutal y refrescante hasta agrio.

• ***Ingredientes:*** una jarra grande de vidrio, porcelana o cerámica (una jarra de vidrio con capacidad para dos o tres litros de líquido será adecuada), un litro de infusión de té negro, verde o de hierbas, 70 g de miel o azúcar, aproximadamente 120 cm^3 de té fermentado previamente, cultivo de kombucha, un paño fino o papel tisú, una banda elástica y varias botellas para almacenar la bebida terminada.

Cuando el cultivo se deposite en el fondo, una nueva capa crecerá sobre la superficie del té.

• ***Modo de preparación:*** preparar un litro de té tal como se explica anteriormente. Dejar reposar durante quince minutos, filtrar luego y dejar enfriar a temperatura ambiente. Disolver 70 g de miel o azúcar en el té. Enjuagar la jarra con agua caliente sin utilizar detergente y verter la mezcla dentro. Agregar aproximadamente 120 cm^3 de té de kombucha fermentado previamente. Introducir con cuidado el cultivo gelatinoso por encima del líquido. Cubrir la jarra con un paño delgado o una capa de papel tisú y asegurar con una banda elástica. Asegurarse de que pueda penetrar la suficiente cantidad de oxígeno. Almacenar en un lugar con buena ventilación, a resguardo de la luz intensa, a una temperatura de aproximadamente 23 °C y dejar fermentar. Transcurridos de siete a diez días, retirar el cultivo y almacenarlo en forma temporaria en un recipiente pequeño con tapa. Separar 120 cm^3 del líquido y filtrar el resto para almacenar luego en botellas y llevarlas al refrigerador. Enjuagar el cultivo con agua fría a tibia y guardarlo en el líquido que se separó en la jarra de fermentación para ser utilizado luego en futuras preparaciones.

Con calor suficiente, el cultivo crecerá y duplicará su tamaño aproximadamente en diez días. También es posible prolongar la duración del cultivo dividiéndolo; verter simplemente una mezcla de partes iguales de té fresco y bebida fermentada en otra jarra y agregar un trozo pequeño del cultivo. Se formará una nueva capa en un lapso de tres a cuatro semanas.

EFECTOS DEL KÉFIR Y DE LA KOMBUCHA

Los contenidos de dióxido de carbono y alcohol son los mismos que en el kéfir.

KÉFIR. Aún se desconoce la forma en que el kéfir opera en el organismo, pero se conoce lo siguiente: en principio, el kéfir contiene los ingredientes activos de la leche utilizada en su preparación. Las bacterias y levaduras proporcionan nutrientes adicionales de vitaminas B y mejoran la flora intestinal. Durante la fermentación, se producen dióxido de carbono y alcohol, pero solo en pequeñas cantidades comparadas con las cantidades presentes en la cerveza sin alcohol. Las bacterias de ácido láctico evitan procesos perjudiciales de fermentación en los intestinos. Es probable que gracias a esto, entre otros efectos, el kéfir haya ganado reputación como fuente de salud y longevidad. Para disfrutar de tales beneficios, es necesario consumir al menos 230 cm^3 por día.

KOMBUCHA. Contiene azúcar (glucosa, fructosa), ácido láctico, ácido glucurónico y otros ácidos, vitaminas, enzimas, compuestos químicos que actúan como antibióticos, dióxido de carbono y pequeñas cantidades de alcohol. Su consumo en forma periódica libera al cuerpo de toxinas, estimula la función metabólica, fortalece el sistema inmunológico y mantiene saludable la flora intestinal. El té actúa como desinfectante suave y laxante. Alivia la fatiga y el nerviosismo, y también se utiliza en enfermedades más graves, tales como gota, reumatismo, arteriosclerosis, problemas gastrointestinales, presión arterial elevada e inmunodeficiencia.

EFECTOS COLATERALES NO DESEADOS

En caso de sufrir inmunodeficiencia, mantener la limpieza.

KÉFIR. El kéfir puede disminuir los efectos de algunas drogas recetadas y por ello, no debe ingerirse junto con ellas, sino dos horas antes o después de dichas medicaciones. Las personas que se encuentran medicadas con anticoagulantes no deben beber más de un vaso de kéfir por día, ya que puede interferir con el efecto de dichas drogas.

KOMBUCHA. Este té no posee efectos colaterales. Sin embargo, posibles contaminaciones de los cultivos con gérmenes nocivos pueden ser peligrosas para cualquiera persona, en especial para aquellas que sufren de inmunodeficiencia. Es necesario prestar especial atención a la limpieza e higiene adecuadas. Durante la fermentación, la tapa de la jarra debe permitir la entrada de oxígeno, pero al mismo tiempo debe proteger el té de polvo e insectos. No utilizar cultivos demasiado viejos (aquellos que hayan formado una capa demasiado gruesa o que presenten un color oscuro).

USO ADECUADO

• *Kéfir ya preparado*

El kéfir ya preparado contiene un cultivo reducido y posee un sabor más similar al de la leche agria. Por ello, es más agradable al paladar occidental. Es conveniente prepararlo casero de acuerdo con el gusto personal.

• *Cultivo de kéfir*

En caso de conocer a alguna persona que prepare su propio kéfir, solicitarle una porción de su cultivo. En caso contrario, adquiera un trozo de los comercializados.

• *Agente de fermentación secado por congelación*

Esta es una buena opción si resulta complicado cuidar y mantener un cultivo de kéfir. La bebida resultante posee un sabor similar al cultivado fresco.

CONSEJO: KÉFIR PARA EL CEREAL

Utilizar kéfir en lugar de leche con el cereal del desayuno. Junto con granos enteros y frutas, es posible preparar una comida completa y nutritiva.

Mediante un cuidado adecuado, el cultivo de kombucha permanece viable por tiempo indefinido.

KOMBUCHA. También se produce comercialmente, pero su costo es relativamente elevado. Es preferible prepararlo en forma casera. Obtener un cultivo de algún conocido o encargar un trozo a algún proveedor.

CASOS EN LOS QUE PUEDE UTILIZARSE

El kéfir es una bebida ideal para personas con intolerancia a la lactosa.

No se debe beber kéfir y kombucha solamente en caso de enfermedad. Estas bebidas fermentadas pueden ayudar al organismo incluso cuando está sano.

CONSEJO

Al preparar la primera porción de kombucha, utilizar azúcar en lugar de miel, ya que esta puede dañar el cultivo.

PRINCIPALES APLICACIONES

TRASTORNOS	APLICACIONES SUGERIDAS
Arteriosclerosis	Tratamiento con kéfir y kombucha.
Trastornos gastrointestinales	Tratamiento con kéfir y kombucha.
Gota	Beber kombucha y kéfir en forma periódica.
Inmunodeficiencia	Beber kombucha y kéfir en forma periódica.
Infecciones	Beber kombucha y kéfir en forma periódica.
Reumatismo	Beber kombucha y kéfir en forma periódica.
Fatiga estacional	Tratamiento con kéfir o kombucha.

MALESTARES GASTROINTESTINALES. El kéfir y la kombucha permiten restaurar la flora intestinal. Contienen bacterias de ácido láctico que erradican microorganismos nocivos del intestino y proporcionan un ambiente ideal para que las bacterias beneficiosas puedan desarrollarse. El dióxido de carbono y el ácido láctico, así como también el sabor amargo de ambas bebidas, estimulan y contribuyen a la digestión. El kéfir y la kombucha permiten evitar y curar infecciones de las membranas mucosas que revisten el tracto intestinal.

DESINTOXICACIÓN DEL ORGANISMO, ESTADOS CRÓNICOS. El kéfir y la kombucha ayudan al organismo a excretar residuos metabólicos y toxinas. Esto los convierte en remedios ideales para tratar la fatiga estacional, la gota y el reumatismo. Su consumo periódico permite tratar arteriosclerosis e hipertensión. La kombucha también alivia el dolor y reduce la inflamación. Beber uno o dos vasos de kéfir o kombucha a diario.

INFECCIONES. Tanto el kéfir como la kombucha fortalecen el sistema inmunológico, y la kombucha previene en forma directa el desarrollo de bacterias. Si existe una enfermedad grave que justifica el suministro de antibióticos, la kombucha puede contribuir a prevenir efectos colaterales tales como una flora intestinal no saludable.
En caso de encontrarse bajo el efecto de antibióticos, beber un vaso de kéfir dos horas después de la dosis matinal y dos horas antes de la dosis nocturna de la medicación. Luego, beber tres vasos de kéfir en forma diaria durante tres o cuatro semanas más.

CÁNCER. El kéfir y la kombucha ayudan a prevenir el cáncer mamario y de colon. Beber dos o tres vasos por día.

AJO

CONTRA DEMONIOS Y ENFERMEDADES

El ajo es una de las plantas medicinales más antiguas conocidas por el hombre. Fue considerado como remedio y especia por primera vez en los antiguos textos de los sumerios, escritos aproximadamente hace 5.000 años. Luego, los griegos, los romanos y diversas tribus germánicas utilizaron el ajo para los mismos propósitos. En Europa, la planta es conocida en gran parte desde la Edad Media, cuando los monjes benedictinos la cultivaban en los jardines del monasterio y la empleaban para proteger a la gente de las epidemias infecciosas. Durante los años en que la peste azotó Marsella, bandas de ladrones que robaban a los enfermos y fallecidos alegaron que el consumo de ajo macerado en vino y vinagre les otorgaba inmunidad frente a la enfermedad.

El ajo también desempeña otra función importante. Durante siglos, las personas han colgado ristras de ajo en puertas y ventanas para ahuyentar demonios, brujas y vampiros.

Los bulbos de semillas se desarrollan en los altos tallos de la planta de ajo.

FORMA CORRECTA DE IDENTIFICARLO

El ajo (*Allium sativum*) se originó en Oriente, pero se ha cultivado en Europa, África y América. La planta obtiene un mejor desarrollo en lugares soleados y de suelos arenosos y no demasiado firmes, ricos en nutrientes. Los altos tallos, de hasta 90 cm, crecen de un bulbo que presenta varios dientes. Sus delicadas hojas se asemejan a las del puerro, y posee flores blancas y rosadas desde junio hasta agosto. Las cabezas florales se transforman luego en bulbos secundarios que miden aproximadamente 1,25 cm de diámetro y contienen las semillas.

FORMA CORRECTA DE PLANTAR Y COSECHAR

Una excelente forma de secar el ajo consiste en cosechar toda la planta, sujetar las hojas de varias plantas en forma conjunta formando una trenza y colgarla.

El ajo obtiene un mejor crecimiento en suelos pesados y bien fertilizados. Es aconsejable un riego moderado. Es posible efectuar la propagación del ajo ya sea mediante dientes o bulbillos. Ambos se plantan entre marzo y abril o septiembre y octubre. Colocarlos en hileras, con un espacio de aproximadamente 15 cm entre cada planta, y de aproximadamente 20 cm entre las hileras. En caso de plantar bulbos, será necesario un período de dos años hasta poder cosechar el cultivo. También pueden cultivarse plantas de ajo en macetas de arcilla en la entrada de la casa. Cosechar los bulbos una vez que las hojas superiores se hayan secado durante el otoño. La mayoría del ajo producido en forma comercial y cultivado con frecuencia en grandes plantaciones, se procesa hasta convertirse en polvo inmediatamente después de haberse cosechado.

LA EFICACIA DEL AJO

Un buen tratamiento alternativo para la arteriosclerosis.

El ingrediente activo principal del ajo es la alicina. La cantidad contenida en cada bulbo varía de acuerdo con la zona de cultivo. El ajo cultivado en China es el más rico en alicina. La alicina solo se produce cuando las células de los bulbos frescos se encuentran apiñadas. El ajo también contiene otros ingredientes activos tales como enzimas, aminoácidos y sustancias similares a las hormonas que funcionan como las hormonas femeninas y masculinas.
Dilata los vasos sanguíneos, actúa como diluyente en la sangre y así mejora la función cardiovascular y disminuye la presión sanguínea. Posee propiedades antioxidantes, reduce los niveles excesivos de colesterol en sangre y evita que el colesterol se deposite en las arterias. Todo esto reduce el riesgo de sufrir arteriosclerosis. Es una alternativa de costo reducido a las drogas recetadas en tales casos a personas con excesos de colesterol.
El ajo también es un remedio de gran demanda dadas sus propiedades antibacterianas. No es tan potente como los antibióticos, pero sus efectos son prolongados y no produce efectos colaterales. El ajo puede utilizarse para combatir algunas cepas bacterianas que se hayan tornado resistentes a los antibióticos. Al eliminar bacterias y levaduras nocivas, se reduce la fermentación no deseada en los intestinos. Estimula la producción de bilis y ayuda a aliviar calambres abdominales. También se cree que evita el desarrollo de tumores, disminuye los niveles de glucosa en sangre y reduce los efectos de varios venenos.

EFECTOS COLATERALES NO DESEADOS

Rara vez provoca malestares gastrointestinales, reacciones alérgicas o problemas cardiovasculares. Algunas personas no son capaces de tolerar grandes cantidades de ajo crudo y deberían evitar su ingesta con el estómago vacío. Las personas medicadas por hipertensión deben consultar al médico antes de agregar cantidades importantes a la dieta.

USO ADECUADO

El ajo debe ser ingerido durante períodos prolongados para que resulte efectivo. La dosis diaria recomendada consiste en, al menos, una cantidad aproximada de tres dientes pequeños, 900 mg de ajo en polvo o nueve comprimidos revestidos entéricos.

EL AJO FRESCO

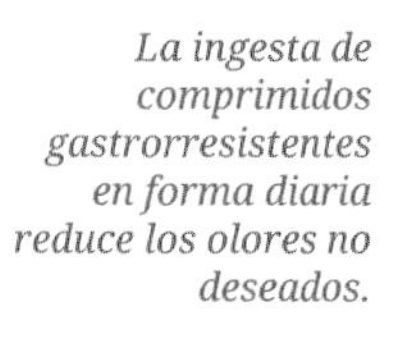

La ingesta de comprimidos gastrorresistentes en forma diaria reduce los olores no deseados.

Puede agregarse ajo fresco como condimento a una gran cantidad de comidas de todos los días.

COMPRIMIDOS GASTRORRESISTENTES

Esta forma de suplemento es apropiada para aquellos a los que no les agrada comer grandes cantidades de ajo crudo a diario, o que desean asegurarse de ingerir la suficiente cantidad de ajo para gozar de un buen estado de salud. Los comprimidos gastrorresistentes contienen polvo de ajo obtenido tras un proceso de secado y son tan efectivos como el ajo crudo.

EL JUGO DE AJO

La preparación del jugo crudo es sencilla.

- ***Ingredientes:*** 5 dientes de ajo, 5 cucharaditas de miel, agua.
- ***Modo de preparación:*** triturar o picar los dientes en trozos bien pequeños. Mezclar con 5 cucharaditas de miel. Agregar 250 ml de agua tibia, dejar reposar durante diez minutos y luego filtrar. Preparar a diario.

PERLAS DE AJO

Las perlas de ajo que se encuentran a la venta en tiendas de alimentos naturales y dietéticas contienen un extracto oleoso. Estos preparados no son tan efectivos como el ajo crudo o el polvo de ajo fabricado mediante un proceso mínimo.

PRODUCTOS DE AJO FERMENTADO

El ajo de estos productos ha sido “predigerido” en forma virtual mediante procesos químicos y no posee olor alguno. Además de esta característica, es probable que estos preparados hayan perdido la mayoría de sus beneficios.

PREPARADOS HOMEOPÁTICOS

Los homeópatas utilizan el ajo principalmente para tratar bronquitis crónicas, problemas digestivos, reumatismo, dolores musculares y de las articulaciones, y como “cura” o tratamiento para malestares relacionados con la edad.

CASOS EN LOS QUE PUEDE UTILIZARSE

El ajo se utiliza en su gran mayoría por sus propiedades antibacterianas y antimicóticas, y por sus efectos beneficiosos sobre la función cardiovascular.

PRINCIPALES APLICACIONES

TRASTORNOS	APLICACIONES SUGERIDAS
Bronquitis, tos	Beber jugo de ajo.
Problemas cardiovasculares	Ingerir ajo fresco o algún suplemento de ajo.
Diarrea	Ingerir ajo en altas dosis.
Problemas digestivos	Ingerir ajo fresco o algún suplemento de ajo.
Infecciones cutáneas fúngicas o muget	Aplicar jugo de ajo; compresas con ajo.
Dolores de cabeza	Ingerir ajo fresco o algún suplemento de ajo.
Hipertensión; colesterol elevado	Ingerir ajo fresco o algún suplemento de ajo.
Mejorar el estado general de salud	Ingerir ajo fresco o algún suplemento de ajo.
Flora intestinal poco saludable	Tratamiento con ajo fresco o algún suplemento de ajo.

ESTADO GENERAL DE SALUD

El ajo permite mejorar el estado de ánimo, aumentar el vigor y mejorar la concentración. Reduce la ansiedad y posee un efecto relajante sobre el sistema nervioso.

Ingerir en forma diaria grandes cantidades de ajo, ya sea fresco o como suplemento diario.

SISTEMA CARDIOVASCULAR

La ingesta periódica de ajo durante varios años permite evitar, o al menos reducir, modificaciones en los vasos sanguíneos que pudieran provocar paros cardíacos, disfunción renal, problemas de circulación en las piernas o circulación reducida de sangre al cerebro. Las personas que sufren dolores de cabeza o tienden a tener las manos y los pies fríos, también pueden obtener beneficios. Su consumo en cantidades suficientes mejora la circulación sanguínea en todos los órganos y tejidos, incluyendo la piel.

Asegurarse de conseguir la cantidad adecuada (tres dientes pequeños) en forma diaria. Esto ayuda a prevenir el endurecimiento de las arterias. En caso de colesterol elevado, evitar el azúcar y solo utilizar aceite de oliva o de canola. En caso de presión sanguínea elevada, consultar al médico antes de consumir más cantidad de ajo.

PROBLEMAS DIGESTIVOS

Los ingredientes activos contribuyen a la digestión y reducen la fermentación en los intestinos, lo que podría provocar gases abdominales, diarrea o calambres dolorosos. También alivia la sensación de pesadez estomacal y las náuseas.

RECETA

• ***Indigestión general:*** consumir tres dientes de ajo pequeños por día.

• ***Diarrea:*** en casos agudos, ingerir diez dientes de ajo crudos o la cantidad equivalente de suplemento de ajo en forma diaria. Una dosis tan alta es necesaria para alcanzar el efecto deseado.

• ***Flora intestinal no saludable:*** aplicar el tratamiento durante tres a cuatro semanas. Esto se recomienda en particular luego de haber ingerido antibióticos.

PROBLEMAS RESPIRATORIOS

En la medicina popular, el ajo también se utiliza para tratar problemas relacionados con el aparato respiratorio, tales como bronquitis y tos. Además, es de gran ayuda para aliviar los síntomas de la tos convulsa. Sin embargo, la tos convulsa en una enfermedad grave que siempre requiere el tratamiento de un médico.

RECETA

Extraer dos cucharadas colmadas de jugo de ajo recién exprimido de cinco dientes e ingerir en dosis repartidas a lo largo del día.

INFECCIONES CUTÁNEAS

En caso de infección de heridas menores, o si se sufre de infecciones cutáneas fúngicas, es conveniente utilizar ajo dadas sus propiedades antibacterianas y antimicóticas.

RECETA

• ***Infecciones bacterianas:*** abrir una cápsula de gelatina blanda y aplicar el aceite de ajo sobre la región afectada varias veces al día. Como alternativa, pueden aplicarse compresas embebidas en aceite de ajo (ver página 162).

• ***Infecciones fúngicas:*** aplicar jugo de ajo fresco sobre la región afectada varias veces al día, o aplicar compresas embebidas en aceite de ajo.

PREVENCIÓN Y CURACIÓN CON ACEITES

Los aceites vegetales, en especial el aceite de oliva, poseen una larga historia. Los olivares más antiguos datan de hace 7000 años, y la extracción de aceite de oliva debe haberse iniciado miles de años atrás. En la Antigüedad, el aceite de oliva era exclusivo de la región del Mediterráneo. Los propietarios de olivares eran prestigiosos y adinerados. Los aceites comestibles, cosméticos y medicinales se exportaban a lugares tan lejanos como Egipto. Los masajes corporales con aceites eran comunes. En una oportunidad se le preguntó al filósofo Demócrito (550 a. C.) sobre el secreto de su longevidad y replicó: "Uso interno de la miel y uso externo del aceite". Durante varios siglos, el aceite fue la fuente más importante de grasas. También fue utilizado en diversos rituales. En Israel, por ejemplo, los reyes y sacerdotes eran ungidos con aceites aromáticos. Los aceites vegetales han sido utilizados como remedios por el Ayurveda durante largo tiempo. En la medicina popular rusa, el aceite de girasol es un ingrediente utilizado en tratamientos para desintoxicar el organismo. Incluso la medicina occidental moderna ha asegurado finalmente que algunos aceites vegetales permiten reducir el riesgo de ataques cardíacos.
Los aceites vegetales también se utilizan como bases para pinturas y tinturas, como lubricantes para maquinarias, para calefacción y como combustible.

Olivo

ELABORACIÓN DE LOS ACEITES VEGETALES

La mayoría de los aceites vegetales se prensan en frío en forma mecánica. Este delicado proceso asegura el alto valor nutricional del aceite ya que permite conservar la mayoría de los valiosos ingredientes activos de la planta. Cinco kilogramos de aceitunas rinden un litro de aceite de oliva puro. Este aceite se denomina "extra virgen" o "virgen". Al adquirir un aceite, es conveniente asegurarse de que haya sido prensado en frío.
El aceite refinado se conserva fresco por más tiempo que el aceite no procesado, pero el calor excesivo y el uso de solventes químicos destruye los nutrientes valiosos, tales como las vitaminas, los flavonoides y la lecitina, así como también el sabor y aroma naturales del producto.

ACEITES VEGETALES

ACEITE	CARACTERÍSTICAS	INGREDIENTES ACTIVOS	BENEFICIOS
Aceite de almendra	Muy especial y apreciado, de color amarillo claro a dorado, de sabor algo dulce, para dulces o postres.	Rico en vitaminas A, B, E y minerales.	Estimula el apetito, combate infecciones, expectorante, alivia la piel seca, ideal para el cuidado del bebé; puede utilizarse como laxante para niños; es buena base para aceites volátiles.
Aceite de canola	Sabor suave, casi neutro, reemplazo del aceite de oliva, sus ingredientes activos son similares; tolera el calor.	Rico en monoácidos grasos no saturados, grandes cantidades de vitamina E.	Útil para tratar trastornos hepáticos y de la vesícula biliar, regula los niveles de lípidos en sangre, evita el ácido estomacal excesivo, protege las células, ideal para el cuidado de la piel.
Aceite de maíz	De color amarillo dorado, de sabor fuerte y peculiar; no debe calentarse.	Muy rico en ácidos grasos no saturados, vitaminas A, B, E, minerales y lecitina.	Evita el daño celular, apropiado para el cuidado de la piel y del cabello.
Aceite de uva	De color amarillo pálido a verdoso, de sabor dulce.	Grandes cantidades de poliácidos grasos no saturados, muy rico en ciertos flavonoides más potentes que la vitamina E.	Protege contra la arteriosclerosis, evita el envejecimiento prematuro y el daño celular, fortalece el sistema inmunológico y los tejidos conectivos, licua la sangre; para masajes.
Aceite de lino	De color amarillo oscuro, sabor levemente amargo algo peculiar. Consejo: sabe muy bien con quesos untables servidos con papas.	Especialmente rico en ácidos grasos no saturados.	Alivia malestares gastrointestinales ya que protege las membranas mucosas y actúa como laxante suave; posee propiedades calmantes, ayuda en casos de afecciones respiratorias y cólicos de la vesícula; contribuye a la curación de heridas y elimina eccemas.
Aceite de oliva	De color amarillo a verde oscuro, de sabor fuerte, de fácil digestión; tolera el calor, pero debe utilizarse aceite de oliva refinado para freír.	Rico en monoácidos grasos no saturados, grandes cantidades de ácidos grasos esenciales y vitamina E.	Útil para tratar trastornos hepáticos y de la vesícula biliar, regula los niveles de lípidos en sangre, evita el ácido estomacal excesivo, protege las células, ideal para el cuidado de la piel.
Aceite de zapallo	De color verde oscuro a marrón.	Grandes cantidades de vitamina E y fitosteroles.	Reduce el aumento de tamaño benigno de próstata, mejora la función biliar, evita infecciones, fortalece músculos y tejidos conectivos.
Aceite de sésamo	De sabor a nuez suave, de color amarillo brillante a oscuro.	Rico en monoácidos y poliácidos grasos no saturados, microminerales, antioxidantes y lecitina.	Especialmente útil para aquellas personas de presión arterial elevada o con diabetes, o que hayan sufrido ataques cardíacos o infartos; apropiado para masajes, también se cree que es afrodisíaco.

ACEITES VEGETALES

ACEITE	CARACTERÍSTICAS	INGREDIENTES ACTIVOS	BENEFICIOS
Aceite de soja	De color amarillo anaranjado; puede utilizarse hasta dos o tres meses después de abierto el envase.	Especialmente rico en vitaminas A, E y lecitina; contiene grandes cantidades de poliácidos grasos no saturados.	Protege contra el daño celular, regula los niveles de lípidos en sangre, actúa como tónico para los nervios.
Aceite de girasol	De color amarillo claro, de sabor a nuez.	Muy rico en vitaminas A, E y lecitina; contiene grandes cantidades de poliácidos grasos no saturados, sustancias adicionales.	Protege contra el daño celular, actúa como tónico para los nervios, alivia trastornos hepáticos y de la vesícula biliar, actúa como expectorante, es apropiado para masajes, se utiliza para tratamientos con aceite.
Aceite de cardo	De color amarillo dorado; de sabor a nuez; no debe calentarse.	Especialmente rico en poliácidos grasos no saturados y vitamina E.	Regula los niveles de colesterol, previene la arteriosclerosis y el daño celular, adecuado para el cuidado de la piel.
Aceite de nuez	De color amarillo claro, de sabor a nuez; se oxida con facilidad al contacto con el aire; es ideal para platos dulces.	Muy rico en poliácidos grasos no saturados, rico en minerales y varias vitaminas.	Protege contra la arteriosclerosis y actúa como tónico para los nervios.
Aceite de germen de trigo	De sabor agradable, granulado.	Muy rico en vitamina E, grandes cantidades de poliácidos grasos no saturados.	Protege contra el daño celular y el envejecimiento prematuro, ayuda a la regeneración celular, suaviza la piel, contribuye a curar cicatrices, recomendado por las parteras para masajes en el área del peritoneo durante varias semanas antes de dar a luz.

EL VERDADERO VALOR DE LOS ACEITES VEGETALES

Los lípidos representan una parte importante de nuestra dieta; no es posible vivir sin ellos. Proporcionan energía y desempeñan un papel vital en la reproducción celular. Los lípidos protegen, además, las células nerviosas. Los ácidos grasos facilitan la absorción de oxígeno en las células. El organismo los necesita para producir proteínas, enzimas y hormonas. Existe, como consecuencia de ello, una diferencia significativa entre la grasa vegetal y la animal: si bien ambas contienen ácidos grasos saturados, los aceites vegetales son mucho más ricos en monoácidos y poliácidos grasos no saturados que la grasa animal.

El organismo necesita ácidos grasos saturados y no saturados.

Las hierbas agregadas a aceites vegetales proporcionan un sabor característico.

CONSEJO: PÉRDIDA DE PESO CON ACEITES VEGETALES

Sin las grasas no saturadas, los depósitos de lípidos en el cuerpo no pueden reducirse. Las personas que desean perder peso deben evitar todos los lípidos. Deben efectuar un esfuerzo, en cambio, por incluir en la dieta, aceites vegetales de alta calidad.

A diferencia de la grasa animal, los aceites vegetales no poseen colesterol, pero sí son ricos en nutrientes saludables, tales como las vitaminas grasas solubles (en especial las vitaminas A y E), minerales, microminerales y lecitina. Estos aceites aumentan los niveles de lípidos saludables en sangre (lipoproteínas de alta densidad) y, a la vez, reducen los lípidos nocivos (lipoproteínas de baja densidad). Por ello, reducen el riesgo de arteriosclerosis y enfermedades cardiovasculares. Los aceites vegetales fortalecen el sistema inmunológico, contribuyen a la función metabólica y permiten evitar depresiones leves provocadas por cambios hormonales durante la menopausia y antes del comienzo del período menstrual femenino.

USO ADECUADO

Los aceites vegetales prensados en frío no deben nunca calentarse a altas temperaturas.

★ ***Importante:*** de acuerdo con la variedad, la mayoría de los aceites vegetales puros, prensados en frío, tienden a oxidarse y a volverse rancios con facilidad. Es importante utilizarlos con rapidez una vez abierto el envase. Los lípidos rancios contienen químicos nocivos para la salud. Los aceites vegetales prensados en frío nunca deben calentarse a altas temperaturas ya que el calor excesivo puede convertir algunos de los valiosos constituyentes originales en carcinógenos. Como los refinados ya no contienen una gran cantidad de ingredientes activos, es más práctico utilizarlos para freír. Una buena idea consiste en servir verduras levemente salteadas o ensaladas frescas preparadas con aceites vegetales prensados en frío junto con alimentos fritos o grillados. Estos contienen antioxidantes que reducen los riesgos de salud que implica ingerir aceites calentados y grasa animal.

ACEITES COMESTIBLES

Es conveniente utilizar aceites vegetales no refinados, de alto valor nutricional con tanta frecuencia como sea posible para enriquecer platos con verduras crudas, ensaladas, sopas y postres. El aceite de oliva refinado es una buena opción para cocinar, freír y hornear ya que permanece relativamente estable incluso al exponerlo al calor.

ACEITE VEGETAL SOLO O EN JUGOS DE VERDURAS

Ingerir aceite vegetal solo puede parecer no demasiado agradable en una primera instancia, pero es una buena forma de proporcionar la suficiente cantidad de poliácidos grasos no saturados al organismo. Una dosis diaria de dos cucharaditas es segura y eficaz, y puede ingerirse durante períodos prolongados. En caso de no poder tragarlo solo, es posible agregarlo a un vaso de jugo de verduras. El aceite mejorará la absorción de las vitaminas grasas solubles presentes en el jugo.

TRATAMIENTO CON ACEITE

Un tratamiento con aceite se recomienda principalmente en caso de problemas respiratorios y dolores de cabeza, pero también puede utilizarse para tratar otras afecciones provocadas por la acumulación de toxinas en el cuerpo, tales como la suceptibilidad a infecciones, diversos malestares cutáneos, problemas en las articulaciones y depresiones leves o insomnio.

Un tratamiento con aceite debe prolongarse durante al menos cuatro semanas.

El tratamiento debe prolongarse durante al menos cuatro semanas. Algunas veces, los resultados pueden experimentarse en la primer semana. Las condiciones crónicas requieren un tratamiento más prolongado donde el procedimiento que se describe a continuación debe repetirse varias veces al día.

RECETA

• ***Ingredientes:*** aceite orgánico de girasol prensado en frío, una caja de cartón de huevos o toallas de papel para retirar el aceite utilizado.

• ***Modo de preparación:*** colocarse en la boca una cucharada de aceite orgánico de girasol prensado en frío (o cualquier otro aceite vegetal de valor nutricional similar) y esparcirlo por los dientes. Continuar con este procedimiento durante al menos diez minutos. El tiempo recomendado es de veinte minutos. Luego de haber terminado, no tragar el aceite, que ya se encontrará muy diluido por la saliva; salivar en la caja de cartón o sobre la toalla de papel. No arrojar el aceite en la pileta, ya que la grasa puede ocasionar problemas en las plantas de tratamiento de aguas. El aceite contiene grandes cantidades de toxinas y una gran cantidad de bacterias que pueden apreciarse con facilidad mediante un microscopio. Enjuagar la boca con agua tibia y cepillarse los dientes.

MASAJES CON ACEITES

• ***Ingredientes:*** aceite de oliva, de cardo o de almendra (o cualquier otro fabricado con frutas secas), aceite esencial, tal como el aceite de naranja, limón o lavanda.

• ***Modo de preparación:*** agregar unas gotas de aceite esencial a una mezcla de una parte de aceite de oliva, una parte de aceite de cardo y

una parte de aceite de almendra. Entibiar levemente, aplicar sobre la piel y masajear. Retirar el excedente con una toalla de papel.
El aceite para masajes puede conservarse por varios meses en una botella oscura cerrada en forma hermética.

ACEITES DE BAÑO

• ***Ingredientes:*** un litro de leche entera, tres cucharadas de aceite de oliva, su aceite aromático favorito.
• ***Modo de preparación:*** agregar la leche entera, el aceite de oliva y unas gotas del aceite aromático al agua de la bañera. En lugar de leche, puede utilizarse el suero. Dejará la piel muy suave.

CASOS EN LOS QUE PUEDEN UTILIZARSE

Los aceites vegetales se utilizan principalmente dada su capacidad de regular los niveles de colesterol en sangre y para otras enfermedades asociadas comúnmente con la dieta y con el estilo de vida moderna. También resultan muy beneficiosos para el aparato digestivo y la próstata. Ayudan a que la piel conserve su humedad y la tornan menos propensa a infecciones.

PRINCIPALES APLICACIONES

TRASTORNOS	APLICACIONES SUGERIDAS
Constipación en niños	Ingerir aceites vegetales prensados en frío.
Piel seca y sensible	Utilizar masajes y aceites de baño preparados con aceites vegetales.
Niveles de colesterol elevado	Utilizar aceites vegetales comestibles prensados en frío, o ingerirlos solos.
Aumento de tamaño de la próstata	Utilizar aceite de zapallo en forma periódica.
Trastornos de la vesícula biliar	Ingerir aceite de oliva o cualquier otro aceite vegetal prensado en frío.
Desórdenes hepáticos	Utilizar aceites vegetales prensados en frío con las comidas o ingerirlos solos.
Cabello maltratado	Masajes capilares con aceite de almendra, germen de trigo o maíz.
Malestares estomacales	Ingerir aceite de oliva o cualquier otro aceite vegetal prensado en frío.
Infección urinaria	Utilizar aceite de zapallo en forma periódica.

ENFERMEDADES DE LA CIVILIZACIÓN MODERNA

Las personas que utilizan en forma periódica aceites vegetales poseen un menor riesgo de sufrir diversas enfermedades. Los ácidos grasos no saturados y demás nutrientes valiosos presentes en estos aceites desempeñan un papel importante en la prevención de arteriosclerosis, presión arterial elevada, problemas digestivos, trastornos hepáticos y de la vesícula biliar, y diabetes. Es esencial contar con un diagnóstico médico apropiado en caso de sospechar que se sufre de alguna de estas condiciones. Los aceites vegetales prensados en frío, dadas sus importantes propiedades antioxidantes, permiten evitar el envejecimiento prematuro e incluso reducir el riesgo de cáncer.

Incluir a la dieta diaria cantidades suficientes de aceites vegetales refinados prensados en frío. Efectuar un tratamiento con aceite en forma periódica, por ejemplo durante la primavera y el otoño.

PROBLEMAS DIGESTIVOS

Los aceites vegetales estimulan el apetito y contribuyen a la digestión. Recubren la mucosa que reviste el tracto intestinal con una capa protectora, reducen la inflamación y actúan como laxantes suaves. Como aumentan la secreción de bilis, se utilizan para tratar trastornos hepáticos y de la vesícula.

• ***Trastornos hepáticos y de la vesícula biliar***

En casos agudos, ingerir dos cucharadas de aceite de oliva. Para afecciones crónicas, ingerir dos cucharadas por día de aceite de oliva, lino o girasol, ya sea solo o con las comidas.

• ***Dolor de estómago, acidez, gastritis***

Ingerir dos cucharadas de aceite vegetal, preferentemente con el estómago vacío.

• ***Constipación en niños***

Suministrar hasta cuatro cucharaditas de aceite de almendra.

AUMENTO DE TAMAÑO BENIGNO DE LA PRÓSTATA E IRRITACIÓN DE LA VEJIGA

Los fitosteroles –obtenidos de las semillas del zapallo–, desempeñan un papel importante en el desarrollo de una próstata sana y en la función urinaria. Los extractos de semilla de zapallo formulados en especial para tratar el aumento de tamaño benigno de la próstata se encuentran a la venta. Para mejorar el efecto beneficioso de estos suplementos, puede incluirse aceite de zapallo a la dieta. Este aceite también permite tratar la irritación de la vejiga, una condición que afecta principalmente a las mujeres, y se caracteriza por la necesidad constante y dolorosa de orinar y la alteración del flujo urinario.

Ingerir dos cucharadas de aceite de zapallo por día, o utilizar simplemente una cantidad equivalente en las comidas y ensaladas en forma periódica.

CUIDADO DE LA PIEL Y EL CABELLO

Humectar la piel en forma periódica con masajes de aceites.

Los aceites vegetales utilizados en el cuidado periódico de la piel permiten reponer la humedad en pieles secas. También se recomiendan para tratar condiciones crónicas de sequedad. La piel absorbe los valiosos ingredientes activos presentes en estos aceites y la vuelven más suave, la circulación mejora y la piel puede eliminar las toxinas. También ayudan a revitalizar el cabello maltratado. Los tratamientos periódicos con aceite devuelven el brillo a cabellos opacos y evitan el florecimiento de las puntas.

• ***Piel seca y sensible***

Aplicar un aceite para masajes en la región afectada en forma periódica. Es conveniente no utilizar los baños de espuma ni jabones que se distribuyen a nivel comercial. En cambio, se recomienda utilizar aceites de baño de preparación sencilla.

• ***Piel seca y áspera en manos y pies***

Verter en la palma de la mano una pequeña cantidad de aceite de almendra, de uva, de germen de trigo o de oliva, o una mezcla de estos aceites. Es posible agregar una gota de su aceite aromático preferido, si lo desea. Masajear el aceite durante aproximadamente diez minutos en los dedos, las palmas y las muñecas (o los dedos de los pies, plantas y empeines). Luego, retirar el excedente con una toalla de papel.

• ***Cabello maltratado***

Antes de ir a dormir, masajear el cabello, en especial las puntas, con aceite de almendra, de germen de trigo o de maíz. Cubrir la almohada con una toalla grande. Lavar el cabello con champú por la mañana.

CONSEJO: UN TRATAMIENTO PARA PIES Y MANOS

Masajear aceite vegetal sobre las manos y/o pies antes de ir a dormir. Colocarse guantes y/o medias de algodón. La piel amanecerá asombrosamente suave.

VINO

EL VINO TINTO AYUDA A PREVENIR ATAQUES CARDÍACOS

El vino ha contado siempre con un significado especial para el hombre. Se lo ha asociado con el placer, con la salud y con lo sobrenatural. "El vino nos confortará y sostendrá a través de las pruebas y dificultades de esta tierra", le dijo su padre a Noé. Guiado por estas palabras, Noé comenzó a cultivar uvas tan pronto como abandonó el arca. Según la creencia, Jesús había convertido el agua en vino.

Desde la Antigüedad, se ha utilizado también para tratar diversas afecciones. Con frecuencia, se agregaban hierbas medicinales al vino para luego ser ingerido de esa manera. Esta práctica poseía un doble propósito. El alcohol del vino conservaba las hierbas y, además, le otorgaba al remedio un sabor más agradable. Hipócrito recomendó su utilización para una gran cantidad de casos: como tónico, sedante y somnífero, como desinfectante, para aliviar el dolor, los dolores de cabeza, la indigestión y para problemas cardiovasculares. Durante las últimas décadas, las investigaciones han confirmado los beneficios del vino para el corazón. Diversos estudios han demostrado una incidencia significativamente menor de enfermedades cardiovasculares entre los habitantes de los países del Mediterráneo que entre los habitantes de Europa central y del norte. Esta diferencia se ha atribuido al consumo periódico de vino tinto, como es la costumbre en las regiones del Mediterráneo. Sin embargo, el vino contiene alcohol y parece existir un límite mínimo entre las cantidades de alcohol saludables y no saludables en la dieta.

Un litro de vino posee alrededor de 100 cm³ de alcohol.

LA EFICACIA DEL VINO

En resumen, se han identificado más de mil sustancias químicas diferentes en diversos vinos. Cada uno es único, de acuerdo con las uvas utilizadas, la región donde fueron cultivadas y las condiciones climáticas específicas que se presentan en cada estación en particular. Las cantidades determinadas de estas sustancias y su combinación le otorgan un sabor, un color y un aroma característicos.

Cada litro contiene alrededor de 100 cm^3 de alcohol, además de glucosa, minerales, microelementos, vitaminas, diversos ácidos, taninos y compuestos químicos aromáticos. En particular, los vinos tintos también son ricos en antioxidantes, en especial en polifenol. Además, estos valiosos compuestos químicos pueden encontrarse en grandes cantidades en jugos de frutas y verduras. De esa forma, no son demasiado estables, pero el alcohol del vino permite conservarlos.

LA PROTECCIÓN CONTRA CIERTAS ENFERMEDADES

El alcohol ayuda a reducir el colesterol y mejora la circulación sanguínea.

Las personas que consumen cantidades moderadas en forma periódica no solo son menos suceptibles a sufrir enfermedades coronarias, sino también tienen, en general, una vida más prolongada que aquellos que no consumen alcohol. El alcohol ayuda a reducir los niveles de colesterol, actúa como anticoagulante y mejora la circulación. Esto aumenta el flujo de oxígeno al cerebro que puede contribuir a detener el deterioro de la función cerebral asociada con la vejez. Sin embargo, como el consumo periódico de otras bebidas alcohólicas no ejerce el mismo efecto sobre la función circulatoria, los beneficios del vino relacionados con la salud no parecen atribuirse solamente al alcohol. Es probable que se deban en gran medida a uno o más del resto de los compuestos químicos que contiene. El vino también aumenta el apetito y ayuda a la digestión. Evita la formación de cálculos renales y parece reducir el riesgo de cáncer. Beber cantidades moderadas de vino reduce los efectos del estrés sobre los vasos sanguíneos y las células nerviosas. Disminuye además la insulina y aumenta los niveles de estrógeno en sangre. El vino blanco estacionado en particular actúa como desinfectante y ayuda a prevenir diarreas.

Beber cantidades moderadas de vino tinto en forma periódica reduce el riesgo de ataques cardíacos.

VENTAJAS

Es preferible consumir vino junto con las comidas.

El vino puede mejorar el estado de ánimo de una persona al igual que el café, el té o los dulces. Un vaso es suficiente para estimular la confianza en sí mismo y producir una sensación de bienestar. Esto se debe al efecto que posee el alcohol sobre la serotonina, un neurotransmisor que mejora el estado de ánimo. Al igual que la luz y el ejercicio, el vino evita la descomposición de la serotonina en el cerebro. Sin embargo, una cantidad excesiva puede ejercer el efecto contrario. Es posible que provoque cansancio, ansiedad e insomnio. El consumo periódico y moderado ofrece mayores ventajas que desventajas. Algunos expertos incluso sostienen que la abstinencia de alcohol constituye un riesgo para la salud.

LOS HOMBRES TOLERAN MAYORES CANTIDADES DE VINO

El alcohol se descompone en el organismo mediante la acción de una enzima llamada “alcohol deshidrogenasa”. Este compuesto se encuentra principalmente en el hígado, pero también en el estómago. Las mujeres producen cantidades menores de alcohol deshidrogenasa y poseen menos masa corporal que los hombres. Esto las convierte en seres más sensibles al alcohol. El grado de actividad química de alcohol deshidrogenasa varía de acuerdo con cada persona. De esta forma, la misma cantidad de alcohol puede producir diversos niveles en sangre en personas diferentes. Las bebidas alcohólicas son menos nocivas para ambos sexos cuando se ingieren en las comidas. El alimento hace que el alcohol permanezca en el estómago durante mayor tiempo y le da más tiempo a la enzima deshidrogenasa alcohol para descomponerse.

EFECTOS COLATERALES NO DESEADOS

El que haya consumido grandes cantidades de alcohol debe conocer los desagradables efectos colaterales. Los síntomas de una resaca se deben a los productos derivados que se acumulan cuando el alcohol se descompone en el hígado. El abuso regular durante un período prolongado puede causar depósitos grasos anormales en el hígado, hepatitis, cirrosis del hígado e inflamación crónica del páncreas. También destruye las células nerviosas, afecta los reflejos y aumenta el riesgo de ciertos tipos de cáncer.

Beber cantidades excesivas de alcohol es incluso más peligroso cuando se combina con una dieta inadecuada.

Algunos vinos, en su mayoría las variedades menos costosas, contienen diversas sustancias químicas que pueden provocar problemas en personas sensibles. El azufre, agregado en pequeñas cantidades a la mayoría de los vinos como conservante, algunas veces produce reacciones alérgicas. Lo mismo ocurre con la histamina, que también puede provocar dolores de cabeza, palpitaciones y sofocones repentinos. En tales casos, debería dejarse de beber vino si se experimenta cualquiera de estos síntomas. Algunas veces, el alcohol amílico, presente en algunos de los vinos más costosos, es responsable de los efectos colaterales no deseados. Algunas personas sufren palpitaciones irregulares luego de beber ciertos vinos. Cambiar de variedad puede ayudar a solucionar el problema.
Como consecuencia de que el alcohol aumenta la producción de ácido úrico, solamente debe consumirse en forma espaciada por aquellas personas que sufren de gota. Las mujeres embarazadas no deben ingerir alcohol, en especial durante los primeros tres meses de embarazo. Las personas con enfermedades hepáticas y las mujeres con riesgo elevado de cáncer de mama también deben abstenerse de consumirlo.

Es conveniente variar los tipos de vino que van a consumirse.

TIPOS DE VINO, PORCENTAJES DE ALCOHOL ESTIMADOS

El vino tinto quizás presenta beneficios levemente mayores que el blanco, pero aún no se ha comprobado cuál es el más saludable.
La mayoría tiene entre un 11 y un 13% de alcohol por volumen. El vino que posee un 12%, contiene 120 ml de alcohol por litro, lo que equivale a aproximadamente 100 g (un ml de alcohol pesa 0,8 g). En una botella de 0,7 litro hay alrededor de 70 g de alcohol. La cantidad permitida óptima de alcohol diaria es de 24 g en mujeres y 32 g en hombres. Esto equivale a 0,3 litro y 0,4 litro de vino, respectivamente.

UN TRATAMIENTO PARA LOS INTESTINOS

El chucrut posee una reputación de larga data por ser uno de los alimentos más saludables. Resulta agradable para aquellos que prefieren una comida simple y casera, y también para los que poseen un paladar más sofisticado. En Alsacia, donde es la comida nacional, se incluye en el menú de los restaurantes más costosos y refinados. Si bien se lo asocia en general con una comida alemana, los franceses y americanos consumen en realidad una mayor cantidad que los mismos alemanes.
El chucrut parece haberse originado en Asia. Se sabe que los antiguos griegos y romanos lo preparaban y lo utilizaban como remedio. Las variedades de repollo que se cultivan actualmente en Europa central fueron importadas a Alemania a través de Francia por las legiones romanas. Durante su viaje alrededor del mundo, el capitán James Cook transportaba chucrut a bordo de su barco para proteger a su tripulación del escorbuto, una enfermedad provocada por la carencia de vitamina C. Sebastián Kneipp, un sacerdote y curandero alemán del siglo XIX, solía recomendar la ingesta de una taza de chucrut crudo o del jugo con el estómago vacío para tratar diversos malestares, tales como la digestión lenta, úlceras estomacales, gota y diabetes. Trataba las heridas y lastimaduras con jugo o vendas con hojas de repollo. Ingerir repollo en ensaladas y chucrut crudo también permite aliviar bronquitis, eccemas, ciática, flebitis y reumatismo.

El repollo es uno de los cultivos más antiguos.

CALIDAD E INGREDIENTES

Se prepara con repollo blanco (*Brassica oleracea*). Las variedades específicas de la planta que producen cabezas blancas y firmes, que pesan alrededor de 7 kg cada una, son las que se utilizan para preparar esta comida tan popular. El chucrut hecho con *Filderkraut*, una variedad de repollo blanco de hojas alargadas y puntiagudas, es considerado una especialidad de Suabia. Con frecuencia, se agregan diversos ingredientes para enriquecer su sabor. Para la receta con vino, originaria de Alsacia, se necesitan dos litros de vino de uva o de manzana cada 100 kg de repollo. El chucrut gourmet se prepara con zanahorias, alcaravea, granos de mostaza, enebrinas y trozos de manzana.
El de buena calidad posee siempre un color pálido, es rizado y no contiene trozos duros, blandos ni fibrosos de repollo. No debe contener supuestamente parte alguna del centro duro de la cabeza, ni hojas grandes ni sin cortar, y debe presentar un aroma levemente agrio.

MODO DE PREPARACIÓN

Entre las principales regiones de Alemania donde se cultiva el repollo blanco se encuentran Suabia, que produce el delicioso *Filderkraut*; Hesse, Schleswig-Holstein, la región inferior del Rin, Bavaria del sur y por supuesto, Alsacia. Luego de cosechar las cabezas de repollo, se retiran las hojas externas y el centro. Las hojas internas se cortan en tiras y se colocan en capas saladas uniformemente en un tonel. El repollo desmenuzado se comprime con una máquina especial. Por encima, se coloca una bolsa o saco de plástico lleno de agua para proporcionar un sello hermético. El jugo del repollo extraído por la sal elimina el aire restante. Las bacterias de ácido láctico comienzan el proceso de fermentación y se reproducen con gran rapidez. Su presencia permite eliminar bacterias no deseadas que podrían provocar su descomposición.

Luego de haber fermentado durante una a tres semanas (el tiempo varía de acuerdo con la estación del año y las temperaturas), el chucrut se calienta en una cuba a 90 °C para eliminar el dióxido de carbono. Luego se envasa y se calienta una vez más a 94 °C para pasteurizarlo.

El chucrut pasteurizado se conserva durante cuatro años.

LA EFICACIA DEL CHUCRUT

El repollo blanco es rico en una gran cantidad de nutrientes, tales como vitamina C, vitamina B2, potasio, calcio y hierro. También es una buena fuente de fibra dietaria. El proceso de fermentación produce B12, una vitamina que rara vez se encuentra presente en verduras y productos vegetales. Las bacterias de ácido láctico destruyen las bacterias no deseadas, tales como el moho y las levaduras, ya que convierten la fructosa y los almidones en ácido láctico y dióxido de carbono. Luego de haber consumido chucrut, estas beneficiosas bacterias continúan su accionar en el tracto gastrointestinal humano. Destruyen los gérmenes nocivos, mejoran la flora intestinal y contribuyen a la digestión. El ácido láctico ayuda a descomponer las proteínas, actúa como laxante suave, fortalece el sistema inmunológico y posee propiedades antiinflamatorias. La ingesta reduce de manera significante el riesgo de cáncer de colon.

Posee un nivel reducido de carbohidratos y calorías, pero al mismo tiempo, satisface el apetito. Esto lo convierte en un alimento ideal para aquellos que desean perder peso. También ayuda a evitar enfermedades asociadas con el sobrepeso, tales como la presión arterial elevada y la arteriosclerosis. También es uno de los mejores remedios naturales para problemas gastrointestinales y reduce la glucosa en sangre. Una gran cantidad de personas con diabetes lo aseguran y lo utilizan en forma periódica en sus dietas.

Una flora intestinal saludable y un pH reducido en los intestinos reducen de manera significativa el riesgo de cáncer de intestino.

EFECTOS COLATERALES NO DESEADOS

El chucrut con papas alivia la acidez.

Las personas de estómago sensible no deberían prepararlo con lípidos o carnes. Es conveniente acompañarlo con especias, tales como semillas de alcaravea, hinojo, enebrinas y miel. Agregar salchichas, lardo, carne o panceta solo al final de la cocción.

USO ADECUADO

La masticación pausada del chucrut le permite a la saliva comenzar el proceso digestivo.

El chucrut es más nutritivo fresco y sin cocinar. Al envasarlo en bolsas de plástico, pierde con gran rapidez cierta cantidad de vitamina C. Ya que la fermentación continúa incluso en el refrigerador, no puede almacenarse durante demasiado tiempo. Los envases abiertos deben conservarse en el refrigerador con suficiente salmuera como para cubrir el chucrut. No es conveniente deshacerse de la salmuera. Contiene valiosos nutrientes. El líquido restante puede utilizarse en sopas.

FRESCO Y CRUDO

El chucrut crudo posee un sabor delicioso y puede ingerirse solo o en ensalada. De esta forma, es muy rico en vitamina C y es muy eficaz como remedio.

CHUCRUT PASTEURIZADO

Posee un sabor delicioso en sopas, platos de carnes y verduras al horno o como relleno.

El que se vende enlatado está pasteurizado. Este proceso destruye las bacterias de ácido láctico y cierta cantidad de vitamina C; no ocurre lo mismo con las vitaminas B y minerales. El pasteurizado no resulta tan nutritivo y saludable como el crudo, pero se considera no obstante un alimento de gran valor.

JUGO DE CHUCRUT

Es refrescante y posee un sabor picante. Beber un vaso por la mañana ayuda a la digestión y proporciona nutrientes importantes al organismo.

JUGO DE REPOLLO

Las hojas del repollo pueden exprimirse. El jugo es bastante insípido, pero muy beneficioso para el revestimiento mucoso del tracto gastrointestinal.

VENDAS CON HOJAS DE REPOLLO

Retirar las nervaduras grandes de algunas hojas pequeñas de repollo. Suavizar las hojas enrollándolas con la ayuda de un palo de amasar o una botella. Cocinar las hojas al vapor sobre agua hirviendo. También puede cortarse una hoja pequeña en tiras para luego colocarlas por encima de la región afectada. Sostener las hojas en su lugar con la ayuda de un trozo de gasa. Será necesario cambiar la venda por la mañana y por la noche. Enjuagar la herida cada vez con infusión de manzanilla tibia.

Asegurarse de que la venda no ejerce presión alguna. Las secreciones deben emanar libremente.

CASOS EN LOS QUE PUEDE UTILIZARSE

El tracto gastrointestinal y la piel obtienen grandes beneficios de los remedios que utilizan repollo blanco.

PRINCIPALES APLICACIONES

TRASTORNOS	APLICACIONES SUGERIDAS
Arteriosclerosis	Ingerir chucrut en forma periódica.
Quemaduras	Venda con hojas de repollo.
Constipación	Beber jugo de chucrut, ingerir chucrut.
Gastritis; úlceras gástricas	Tratamiento con jugo de repollo.
Inmunodeficiencia	Tratamiento con chucrut.
Infecciones intestinales	Beber jugo de chucrut o repollo.
Sobrepeso	Tratamiento con chucrut.
Herpes	Venda con hojas de repollo.
Várices	Venda con hojas de repollo.

INMUNODEFICIENCIA

Si se desea fortalecer el sistema inmunológico, perder algunos kilos o ayudar al tracto gastrointestinal, debe efectuarse un tratamiento con chucrut. Ingerir una porción (de 100 a 250 g) de chucrut crudo preparado, dos veces por día, entre las comidas durante tres a cuatro semanas.

MALESTARES GASTROINTESTINALES

Las úlceras gástricas se curan con rapidez en aquellos pacientes que beben jugo de repollo a diario. El dolor y la acidez desaparecen en general en pocos días. El jugo de repollo también es útil para tratar infecciones intestinales.

Es un remedio casero de resultados eficaces y comprobados para la constipación. El consumo periódico de chucrut permite prevenir el cáncer de intestino.

RECETA

• ***Úlceras estomacales***

Beber un litro de jugo de repollo por día durante cuatro o cinco semanas. El jugo complementa una dieta liviana y debe ingerirse después de las comidas.

• ***Infecciones intestinales***

Beber jugo de chucrut o repollo en forma periódica. En casos agudos, ingerir hasta un litro por día.

• ***Constipación***

Beber uno o dos vasos de jugo de chucrut cada mañana antes del desayuno. Ingerir chucrut con las comidas o como aperitivo.

DIABETES, ARTERIOSCLEROSIS, SOBREPESO

El chucrut regula los niveles de glucosa y lípidos en sangre. Es útil como parte de una dieta para perder peso, y también resulta ideal para aquellos que tienen una dieta restringida a causa de enfermedades.

RECETA

Ingerirlo crudo al menos una o dos veces a la semana. En forma ocasional, efectuar un tratamiento con él e ingerir dos porciones (de 100 a 250 g) de chucrut por día.

LA PIEL

Debido a sus valiosos ingredientes activos, nutre la piel desde el interior. Las hojas de repollo, utilizadas como tópico en forma de vendas, son eficaces para tratar úlceras varicosas, una condición provocada por la falta de circulación en las piernas. Permiten eliminar líquidos y pus, y promueven la curación de heridas. Los herpes y las quemaduras leves, también cicatrizan con mayor rapidez con la ayuda de vendas de hojas de repollo.

RECETA

• ***Úlceras varicosas***

Preparar las hojas de repollo. Limpiar la herida en forma adecuada con infusión de manzanilla tibia, y aplicar luego la venda de hojas de repollo. Sujetarla con un trozo de gasa. Cambiar dos veces por día.

• ***Herpes, quemaduras leves***

Aplicar una venda con hojas de repollo. Sujetarla con un trozo de gasa. Cambiar la venda dos veces por día.

• ***Heridas infectadas***

En caso de heridas leves infectadas, aplicar una venda pequeña con tiras de hojas de repollo, una encima de la otra.

CEBOLLA

SABOR, PREVENCIÓN Y CURACIÓN

Durante más de 5000 años, la cebolla ha sido utilizada por diversas culturas como verdura, especia y remedio. Los obreros egipcios que construyeron la pirámide de Keops se alimentaban a base de grandes cantidades de puerro y cebolla para mantenerse saludables y aumentar su vigor. Los antiguos romanos se avocaron al uso de la cebolla blanca como afrodisíaco y como medio para aumentar la potencia sexual. Los antiguos expertos en hierbas destacaron sus propiedades medicinales y la recomendaron como tratamiento para la tos, el reumatismo, las enfermedades cardíacas, mordeduras de perros y todo tipo de congestiones. Además se cultivaba con fines medicinales en los jardines de los monasterios medievales. En las últimas décadas, estudios científicos han confirmado las propiedades medicinales de esta hortaliza. A pesar de eso, la cebolla aún no se ha ganado su lugar en estudios médicos.

VARIEDADES

La cebolla empleada con fines culinarios *(Allium cepa)* puede ser tanto anual como perenne. El bulbo, de hojas carnosas y numerosas es, en realidad, una reserva de nutrientes para las flores grandes y violetas de la planta. Los tallos verdes y tubulares pueden alcanzar una altura de aproximadamente 90 cm. Existen diversas variedades de cebolla con bulbos de diferentes tamaños, colores, desde el blanco hasta el violeta; y sabores, desde el suave hasta el fuerte.

- La cebolla común presenta un sabor fuerte y picante y se mantiene durante meses.
- La dulce, utilizada como verdura, posee un sabor suave. Se cultiva en su gran mayoría en España y puede alcanzar un tamaño considerable.
- La de verdeo también es de sabor suave. Puede adquirirse y utilizarse junto con los tallos y se mantiene durante unos días.
- La blanca es muy jugosa y presenta un sabor fuerte. Se mantiene durante aproximadamente dos semanas.
- La roja también es muy jugosa y posee un sabor suave y picante. Se echa a perder con mayor rapidez que la cebolla común.
- Los echalotes son una variedad noble de cebolla, y tienen un sabor delicado y aromático.

Cebollas florecidas.

CULTIVO Y COSECHA DE LA CEBOLLA

Un lugar fresco, oscuro y seco es ideal para el almacenamiento prolongado durante varios meses.

Las cebollas disfrutan de los lugares soleados y de suelos ricos y no demasiado firmes que no hayan sido fertilizados. Se autopropagan ya sea mediante semillas o bulbos. La forma más sencilla de cultivarlas es a través de pequeños bulbos. Si se lo planta en primavera, el bulbo dará otros bulbos que podrán cosecharse a fines del verano. Las cebollas estarán listas para la cosecha una vez que los tallos se encuentren secos. Retirar toda la planta, sujetar varios tallos juntos y colgar las cebollas en ramos para que se sequen.

LA EFICACIA DE LA CEBOLLA

Las cebollas contribuyen a la digestión e influyen sobre el metabolismo.

Al igual que el ajo, contiene azufre. También es una excelente fuente de flavonoides, minerales y microminerales, vitamina C y vitaminas B. Las cebollas estimulan el apetito ya que promueven la secreción de jugos gástricos. La fibra que proporcionan protege la mucosa que reviste el estómago. Las cebollas poseen propiedades diuréticas, antibacterianas y antiinflamatorias, y actúan como expectorantes y alivian el dolor. Su consumo periódico permite reducir la presión arterial elevada, evita los coágulos sanguíneos y ataca y destruye los radicales libres. Esto reduce el riesgo de ataques cardíacos, infartos y enfermedades coronarias. También disminuyen los niveles perjudiciales de lípidos en sangre, tales como el colesterol; este es otro de los beneficios para el sistema cardiovascular. Reducen, además, la glucosa en sangre.

USO ADECUADO

A pesar de que las cebollas retienen la mayoría de sus ingredientes activos incluso cuando se las cocina o fríe, es mejor ingerirlas crudas para asegurar que no se destruya ninguna de sus valiosas vitaminas. En caso de utilizarla para prevenir o tratar ciertas afecciones, deben consumirse aproximadamente 55 g de cebolla cruda por día para obtener beneficios óptimos. Simplemente puede agregarse media cebolla a la dieta diaria, ya sea sola y picada, o en ensaladas, salsas, y platos de verduras.

En general, la cebolla roja posee un sabor más suave que la blanca, pero se pudre con mayor rapidez.

JARABE

Esta preparación es ideal para los niños. El agregado de miel mejora los efectos beneficiosos del jarabe. Es necesario recordar siempre que no debe suministrarse miel a niños menores de un año.

• ***Ingredientes:*** una cebolla mediana, tres cucharadas de miel y media taza de agua

• ***Modo de preparación:*** picar la cebolla y mezclarla con la miel. Agregar el agua y calentar toda la preparación en una marmita doble a baño María. Dejar reposar durante al menos tres horas y luego filtrar. Ingerir entre cinco y diez cucharaditas durante el día.

LECHE DE CEBOLLA

• ***Ingredientes:*** una cebolla pequeña, una taza de leche y una cucharadita de miel.

RECETA

• ***Modo de preparación:*** trozar la cebolla en cubos, mezclar con la leche en una cacerola y cocinar la mezcla a fuego lento durante aproximadamente cinco minutos. Retirar del fuego, dejar reposar hasta que la leche se encuentre lo suficientemente fría como para beber, luego filtrar y agregar una cucharadita de miel. Si las vías respiratorias están congestionadas con excesiva mucosa, reemplazar la leche por agua.

INHALACIONES

Al inhalar el vapor que emana de las cebollas cocidas pueden irritarse las membranas mucosas de la nariz. Por ello, es conveniente efectuar inhalaciones breves y repetir el procedimiento más tarde, si fuera necesario.

• ***Ingredientes:*** una cebolla mediana, un litro de agua y una toalla grande.

• ***Modo de preparación:*** trozar la cebolla en cubos y agregarla al agua. Cocinar en una cacerola durante dos minutos. Dejar enfriar levemente. Colocar la cacerola sobre una mesa. Inclinarse sobre el recipiente y colocar una toalla de mano sobre la cabeza y por encima del recipiente. Inhalar durante aproximadamente cinco minutos.

PREPARADOS CON CEBOLLA

Algunas tiendas de alimentos naturistas y herboristerías venden preparados con cebolla tales como jugos o cápsulas que contienen polvo de cebolla.

REMEDIOS HOMEOPÁTICOS

El *Allium cepa* es el agente homeopático de la cebolla. Se utiliza con frecuencia para tratar resfríos con secreción mucosa y ocular, y otitis.

CASOS EN LOS QUE PUEDE UTILIZARSE

La cebolla se utiliza principalmente para tratar resfríos y para evitar afecciones asociadas con la vejez.

PRINCIPALES APLICACIONES

TRASTORNOS	APLICACIONES SUGERIDAS
Gases abdominales	Ingerir cebolla o beber jarabe de cebolla.
Bronquitis, asma	Inhalaciones, ingerir cebollas o beber jarabe.
Constipación	Ingerir cebolla o beber jarabe de cebolla.
Tos	Beber leche caliente de cebolla.
Otitis	Aplicar una venda tibia o fría en la zona del oído.
Trastornos geriátricos	Ingerir cebolla o beber jarabe de cebolla.
Picaduras de insectos	Aplicar una rodaja de cebolla.
Falta de apetito	Ingerir cebolla o beber jarabe de cebolla.
Dolor de garganta	Beber leche caliente de cebolla.
Infección urinaria	Aplicar vendas tibias con cebolla.

ENFERMEDADES DE LA CIVILIZACIÓN MODERNA

El consumo periódico de cebolla, al igual que el de ajo, contribuye a evitar enfermedades cardiovasculares asociadas con la vejez. La cebolla también es de gran utilidad como complemento del tratamiento médico de trastornos existentes. Además, es eficaz para regular las funciones metabólicas del organismo y contribuye a reducir el riesgo de cáncer. En regiones del mundo donde se ingieren grandes cantidades de cebolla, existe un número menor de casos de cáncer de estómago, colon, esófago y pulmones.

Como medida preventiva, ingerir por lo menos media cebolla cruda por día, o bien cuatro cucharaditas de jarabe de cebolla.

PROBLEMAS DIGESTIVOS

La cebolla alivia una gran cantidad de malestares digestivos. Estimula el apetito, mejora la digestión y promueve el desarrollo de una flora intestinal saludable, la cual es requisito previo de un fuerte sistema inmunológico.

Cualquier persona que sufra pérdida de apetito, constipación o gases abdominales debería ingerir media cebolla o beber cinco cucharaditas de jarabe de cebolla en el transcurso del día.

RECETA

TRASTORNOS RESPIRATORIOS Y OTITIS

La cebolla permite aliviar los síntomas del resfrío común. Es un remedio casero de gran eficacia para dolores de garganta y tos. Es de gran ayuda para los asmáticos ya que evita espasmos en los bronquios y, previene ataques de asma.

Los niños son en especial propensos a sufrir otitis. Una venda tibia con cebolla aplicada en la zona del oído alivia con gran rapidez el dolor y reduce la inflamación.

• ***Asma, bronquitis***

Ingerir al menos media cebolla o beber cinco cucharaditas de jarabe de cebolla por día. Para aliviar una congestión persistente, inhalar el vapor de cebolla caliente.

• ***Dolor de garganta, tos***

Beber un vaso de leche de cebolla por día.

• ***Otitis***

Aplicar una venda con cebollas hervidas hasta tres veces por día (página 159).

INFECCIÓN URINARIA

En caso de sufrir dolor en la vejiga o necesidad constante de orinar, es probable que exista una infección urinaria. Aplicar una venda tibia con cebolla sobre el abdomen permite aliviar el dolor y utilizar sus propiedades antiinflamatorias para calmar los síntomas. Pero si el cuadro no mejora al día siguiente, será necesario consultar al médico.

Al primer signo de infección urinaria, aplicar una venda tibia con cebolla sobre el abdomen dos veces al día (ver página 160).

PICADURAS DE INSECTOS

Las picaduras de abejas o avispas son dolorosas y provocan, con frecuencia, una hinchazón considerable. La cebolla es muy efectiva para reducir la hinchazón y la picazón.

Colocar una rodaja de cebolla sobre la región afectada en forma inmediata luego de haber sufrido la picadura.

LAS MEJORES HIERBAS

Los preparados con hierbas son muy populares y los recomiendan una gran cantidad de especialistas naturistas y profesionales de la medicina alternativa. Las hierbas promueven la curación; no hay duda de ello. En la actualidad existen pruebas científicas de que son eficaces. Muchos preparados con hierbas son equivalentes o incluso superiores a ciertas drogas químicas sintéticas. Un ejemplo de esto es la hierba de San Juan, un remedio herbal cuya eficacia para tratar depresiones leves a moderadas es tan buena como la de los antidepresivos sintéticos. Además, la hierba de San Juan teóricamente no posee efectos colaterales.

Resulta muy placentero el tratamiento con hierbas cultivadas en casa aplicado a uno mismo y a la familia. Las que se cultivan en huertas, patios o terrazas contienen las mismas cantidades de ingredientes activos que aquellas que pueden adquirirse en tiendas de alimentos sanos o naturales, siempre y cuando se utilicen semillas de buena calidad, la siembra se efectúe en lugares soleados de suelos ricos y se agregue el fertilizante adecuado. Una infusión preparada con hojas frescas siempre tiene mejor sabor que cualquiera que haya sido preparado con hojas secas. Este capítulo enseña cuáles son las hierbas que pueden resultar útiles para tratar diversas afecciones y cómo se pueden cultivar y utilizar.

HIERBAS DE USO DIARIO

La forma más antigua y común de utilizar hierbas consiste en preparar una infusión vertiendo agua caliente sobre las partes secas de la planta. Sin embargo, no todos las infusiones funcionan de la misma manera; por ello, en algunas oportunidades es importante saber si cierta infusión de hierbas debe beberse antes o después de las comidas y si debe endulzarse o no. La infusión también puede utilizarse en forma externa para tratar heridas, en baños, vendas o lavados.

Existe una gran cantidad de hierbas con las que no puede prepararse una infusión; otras requieren métodos especiales para aprovechar sus ingredientes activos. Para utilizar dichas hierbas, pueden ser necesarios métodos alternativos de extracción, tales como la destilación al vapor o la infusión en alcohol.

CULTIVO Y COSECHA

Una gran cantidad de hierbas puede cultivarse con facilidad en huertas, patios o terrazas. Una de las ventajas de utilizar hierbas cultivadas en forma casera consiste en la seguridad de saber que no han sido tratadas con pesticidas. Sin embargo, proteger las plantas de la contaminación del aire resulta complicado e incluso imposible. En las páginas siguientes se analizan diferentes hierbas, y las instrucciones sobre cómo cultivarlas con éxito.

Antes de recolectar cualquier hierba silvestre, es necesario asegurarse de que no se trate de una hierba en extinción protegida por ley.

En caso de tomar la decisión de recolectar hierbas silvestres, es necesario contar con un gran conocimiento de las plantas deseadas. Conviene evitar zonas donde las plantas parezcan estar contaminadas con residuos químicos, en especial aquellas cercanas a autopistas muy transitadas, zonas fabriles y campos donde los cultivos se traten con herbicidas y pesticidas.

TIEMPO ADECUADO DE EFECTUAR LA COSECHA

Con excepción de las raíces, las hierbas no deben enjuagarse.

Como regla general, deben cosecharse en días secos y soleados. Las hierbas integrales se cosechan en general poco antes de florecer, y las flores se recolectan inmediatamente después de abiertas, a media mañana, tan pronto como el rocío se haya evaporado. Se aconseja recolectar las semillas maduras a la mañana temprano, ya que ese es el momento en que las cabezas de las semillas son menos propensas a perder sus semillas. Los frutos se cosechan cuando se encuentran totalmente maduros. Las raíces y los rizomas maduros deben retirarse de la tierra ya sea en primavera o en otoño. Debe cortarse la corteza de los brotes jóvenes durante la primavera.

CONSERVACIÓN ADECUADA

Una vez cosechadas, deben secarse con rapidez y con el mayor cuidado posible. Continúan perdiendo algunos de sus ingredientes activos incluso luego de secas, por ello es conveniente utilizarlas en el lapso de un año.

- ***Secado***: sujetar las hierbas en pequeños ramos y colgarlos a secar en una habitación aireada, lejos del contacto directo con el sol. Cuando las hojas se encuentran crujientes y los tallos quebradizos, las hierbas estarán secas por completo. Enjuagar las raíces cosechadas en forma adecuada, cortarlas en trozos de aproximadamente 2,5 cm y secarlas en un horno a temperatura baja (alrededor de 60 °C).
- ***Almacenamiento***: guardar las hierbas secas en frascos de vidrio oscuro o en recipientes de madera o lata cerrados en forma hermética para conservar la humedad.

Es importante etiquetar los frascos.

PRINCIPALES INGREDIENTES ACTIVOS

Una hierba contiene, en general, uno o varios ingredientes activos responsables de su principal acción terapéutica, además de otros componentes químicos de menor importancia que, juntos, dan cuenta de su efecto medicinal total. Además de carbohidratos, lípidos, proteínas y fibras, existen compuestos secundarios que actúan como colorantes, permiten proteger las hierbas de plagas y enfermedades o actúan como hormonas para regular el crecimiento. Cada uno de estos componentes puede ejercer un efecto beneficioso o perjudicial para el organismo humano. Dos ejemplos de compuestos químicos perjudiciales para la salud son el ácido cianhídrico, un químico presente en las legumbres crudas; y la solanina, presente en las partes verdes de la papa.

La lavanda es una hierba que posee aceites volátiles.

ALCALOIDES

Las plantas ricas en alcaloides no son adecuadas para infusiones.

La mayoría de las toxinas de las hierbas, tales como la atropina presente en la belladona, la morfina de las amapolas o la colquicina del azafrán, son alcaloides. El uso medicinal de estas sustancias requiere su separación de la planta, lo que permite la administración en dosis precisas.

AMARGOS

Los amargos ayudan a la digestión.

Estos compuestos químicos promueven la producción de jugos gástricos y bilis, estimulan el apetito y ayudan a la digestión. Los amargos también fortalecen el corazón y los sistemas circulatorio e inmunológico. Aumentan el bienestar general.

GLICÓSIDOS

Además de los flavonoides, existen dos compuestos químicos más que conforman el grupo de los glicósidos. Estos son las saponinas y los fenilglicósidos. La mayoría de las plantas contiene flavonoides. Este tipo de glicósido puede producir diferentes efectos, de acuerdo con el flavonoide específico y la cantidad presente en la planta. Los flavonoides contribuyen casi siempre a las propiedades medicinales generales de una hierba. Pueden actuar como antioxidantes, agentes antiinflamatorios o diuréticos. Las plantas que contienen flavonoides también alivian calambres y regulan la circulación, en especial en los capilares. El espino, las flores de árnica, las hojas del abedul, las semillas del cardo y otras hierbas contienen flavonoides.

Las saponinas suspendidas en agua producen espuma si se las agita. Detienen la secreción mucosa y se utilizan para tratar la tos. Las saponinas reducen la inflamación, disminuyen los niveles de colesterol en sangre y poseen propiedades diuréticas. Facilitan la absorción de otros ingredientes activos en los intestinos. Las hojas de hiedra, el ginseng, las legumbres, las avenas, algunas verduras y las raíces de la onagra y el orozuz contienen saponinas.

Los fenilglicósidos se encuentran en laxantes de hierbas preparados con hojas de sen, raíz de ruibarbo, entre otros.

SUSTANCIAS INORGÁNICAS

Una gran cantidad de hierbas también contiene microminerales, tales como potasio, sodio y ácido silícico. Las plantas que pertenecen a la familia de la cola de caballo, de la borraja u otras gramíneas, tales como el limpiatubos o el equiseto, absorben grandes cantidades de ácido silícico del suelo. El ácido silícico es esencial para la formación del tejido conectivo humano, la piel, el cabello y las uñas.

MUCÍLAGOS

Estos polisacáridos forman una capa de protección blanda sobre las membranas mucosas y reducen la irritación, alivian la tos y actúan como laxantes suaves. El lino, la malvarrosa, el liquen de Islandia y el malvavisco cuentan con cantidades significativas de mucílagos.

Los mucílagos alivian la irritación.

TANINOS

Los taninos se adhieren a las proteínas de la piel humana y a las membranas mucosas. Al hacerlo, privan de sus nutrientes a cualquier bacteria que haya invadido la piel o las membranas lesionadas. Reducen la irritación y la inflamación. Las hierbas ricas en taninos se utilizan en soluciones para efectuar gárgaras para calmar dolores de garganta, en enjuagues bucales para reducir gingivitis, en compresas aplicadas sobre las heridas y como remedios para aliviar diarreas. La sanguinaria o consuelda roja, la corteza del roble y los arándanos contienen grandes cantidades de taninos.

Los taninos reducen la irritación y la inflamación.

VITAMINAS

Las vitaminas son esenciales para la salud del organismo. Algunas son fabricadas por el propio cuerpo, otras deben obtenerse de los alimentos. Son los ingredientes activos principales del arraclán común y de la rosa mosqueta.

ACEITES VOLÁTILES

Una gran cantidad de plantas contiene aceites muy volátiles y de fuerte aroma cuya función consiste en proteger la planta contra parásitos, hongos y pérdida de la humedad debido a la evaporación. Estos aceites se extraen mediante la destilación por vapor.
El uso externo de hierbas ricas en aceites volátiles, tales como la hierba de San Juan o la neguilla, reduce la inflamación y mejora la circulación de la sangre, pero también puede irritar la piel. El uso interno de estos aceites permite descongestionar y expectorar, mejora la función gastrointestinal, hepática y de la vesícula biliar, alivia calambres y posee propiedades diuréticas y antisépticas.

EFECTOS COLATERALES NO DESEADOS

Algunas hierbas, tales como las flores de árnica, las hojas de muérdago o las semillas de psyllium, provocan reacciones alérgicas. Algunas personas sensibles pueden sufrir dolores de cabeza al ingerir amargos o infusiones preparadas con hierbas ricas en taninos. Las hierbas laxantes

Pueden surgir a causa de alergias, sensibilidades particulares o dosis excesivas.

no deben utilizarse durante períodos prolongados ya que pueden provocar una carencia de electrolitos esenciales tales como el potasio.

USO ADECUADO

Las hierbas se utilizan ya sea en forma interna o externa, de acuerdo con el preparado. La mayoría de las hierbas se ingieren en forma de té. Las vendas y compresas, dos aplicaciones externas, se analizarán en otro capítulo (ver la página 155).

EL TÉ

No es conveniente comprar té de baja calidad, y deben controlarse las fechas de elaboración y vencimiento.

• ***Las hierbas trozadas*** se consiguen en tiendas de alimentos naturistas y dietéticas. Pueden comprarse sueltas o mezcladas, tal como se desee. Las mezclas deben agitarse o removerse antes de ser utilizadas, ya que las partículas pequeñas de menor peso tienden a asentarse.
• ***Las bolsitas de té*** tienen la ventaja de contar siempre con las porciones convenientes de hierbas, medidas con anterioridad. Como las hierbas se encuentran trozadas muy pequeñas, liberan fácilmente los ingredientes activos. Sin embargo, esto también puede ser una desventaja, en especial en lo que respecta a los aceites volátiles. Se disipan con gran rapidez cuando las células que los contienen se destruyen. La cantidad de aceites volátiles en los tés, en especial en aquellos adquiridos en tiendas de alimentos es, con frecuencia, inferior al mínimo requerido. Los tés de calidad inferior también pueden contener partes que no proporcionan ingredientes activos, como los tallos y las hojas de la planta de manzanilla, además de sus flores.
• ***Los tés instantáneos*** son fáciles de preparar ya que no requieren infusión ni filtrado. Los ingredientes activos de la hierba son extraídos con agua y alcohol, un medio ideal para disolver un amplio espectro de compuestos químicos. Los tés instantáneos se consiguen en polvo o

Té preparado con hierbas secas y bolsitas de té.

en gránulos. Los gránulos contienen con frecuencia azúcar agregada, pero es posible comprar productos sin azúcar, formulados especialmente para personas con diabetes y niños.

FORMA DE PREPARACIÓN DEL TÉ

Con algunas excepciones, lo mejor es beber té por la mañana con el estómago vacío, por la tarde o antes de ir a dormir. Un tratamiento con té debe prolongarse durante alrededor de tres a cuatro semanas. Como regla general, los tés de hierbas no deben combinarse con otros remedios extramedicinales o drogas recetadas, ya que pueden reducir la eficacia del té.

• ***La infusión*** es el método más común de preparación. Es en especial adecuado cuando se utilizan flores, hojas o tallos enteros de las hierbas.

Verter agua caliente sobre las hierbas secas. Dejar reposar durante cinco a diez minutos y luego filtrar.

• ***La maceración*** (extracción de agua fría) se utiliza para las plantas ricas en mucílago (tales como la raíz del malvavisco, el lino o las semillas de psyllium y la malvarrosa) o para hierbas con un contenido excesivo de taninos (tales como la gayuba y la valeriana).

Verter agua fría sobre las hierbas secas y dejar reposar entre ocho y diez horas; revolver cada tanto. Filtrar y luego calentar el té hasta antes de que comience a hervir.

• ***La decocción*** es un método primario utilizado para las partes leñosas de las hierbas, tales como raíces y cortezas.

Utilizar un recipiente de cerámica, verter agua fría sobre las hierbas. Calentar y dejar cocinar a fuego lento durante cinco minutos. Dejar reposar cinco minutos y luego filtrar.

PREPARADOS Y SUPLEMENTOS

Los suplementos, como comprimidos y cápsulas, y demás preparados que se distribuyen en forma comercial, tales como jarabes, tinturas y ungüentos, ofrecen la ventaja de proporcionar cantidades estandarizadas, es decir, específicas y precisas, de los ingredientes activos de una hierba. Los jarabes (por ejemplo de hinojo, llantén o tomillo) que contienen al menos un cincuenta por ciento de azúcar, presentan grandes beneficios y son adecuados para los niños. Las tinturas —a diferencia de los comprimidos y cápsulas— son más sencillas de tragar, pero contienen alcohol y por ello no son recomendadas para niños, personas alcohólicas o con enfermedades hepáticas.

Cepillarse los dientes luego de ingerir preparados con azúcar.

★ ***Importante:*** los comprimidos y las cápsulas deben tragarse siempre con suficiente líquido para reducir el riesgo de atragantarse.

JUGOS NATURALES

Algunas vitaminas y sabores se destruyen con gran facilidad y es conveniente obtenerlos de los jugos naturales. En los últimos años, los jugos de hierbas frescas exprimidas se han vuelto muy populares. Muchos los utilizan para efectuar tratamientos durante la primavera.

RECETA

Trozar las hierbas frescas, dejarlas reposar en agua fría durante unos minutos y luego pasarlas por una juguera. Pueden picarse las hierbas en una procesadora, agregar un poco de agua y filtrarlas luego con ayuda de un paño fino. La ortiga, el diente de león, el berro, la acedera, el llantén y otras hierbas son adecuados para preparar jugos, así como la radicheta, la zanahoria y el apio.

TINTURAS

Las tinturas se preparan mediante la infusión de hierbas frescas o secas en alcohol. Como el alcohol es un buen solvente, conserva una gran cantidad de ingredientes activos presentes en las hierbas frescas de las tinturas. Estas disoluciones pueden utilizarse ya sea en forma externa, diluidas para compresas y baños, o en forma interna para preparar té de hierbas endulzado con terrones de azúcar o mezclado con miel.

RECETA

Verter 70% de alcohol sobre dos puñados (un poco menos de 225 g) de la hierba. Dejar que la mezcla repose durante dos semanas en un frasco con cierre hermético, en un lugar oscuro. Agitar cada dos o tres días. Filtrar con ayuda de un paño fino y verter en una botella pequeña de vidrio oscuro.

VINAGRE CON HIERBAS

Estos vinagres permiten agregar sabor a los platos, además de contribuir a la digestión.

Colocar algunas hierbas, hojas y tallos en una botella. El eneldo, el estragón o el tomillo son solamente algunas de las tantas opciones. Agregar vinagre orgánico de pera, ciruela o manzana. Dejar reposar la mezcla en un ambiente cálido y luminoso durante dos semanas. No es necesario retirar las hierbas del vinagre terminado.

ACEITES MEDICINALES

Los aceites medicinales pueden utilizarse en forma externa o interna.

Triturar dos puñados de brotes o flores recién abiertas con un mortero. Llenar un frasco grande con tapa o una botella limpia con un tercio de las hierbas trituradas. Agregar aceite de oliva hasta el tope. Cerrar el frasco en forma hermética y guardar en un lugar cálido, si es posible, al contacto directo con el sol, durante cuatro semanas. Agitar cada dos o tres días. Filtrar y verter el aceite terminado en botellas pequeñas de vidrio oscuro.

De acuerdo con los ingredientes utilizados, los baños de hierbas pueden ser relajantes o estimulantes.

BAÑOS DE HIERBAS

Las hierbas ricas en aceites volátiles pueden transformar un baño común en una experiencia relajante para el cuerpo y el alma. Los baños de hierbas mejoran la circulación y alivian tensiones.

Colocar las hierbas sobre un trozo de tela de algodón. Sujetar la tela y armar una bolsa pequeña. Colgarla justo por debajo de la canilla mientras se deja correr el agua. Introducirse y permanecer en la bañera durante veinte minutos, luego secarse y descansar en una cama tibia durante treinta minutos. Utilizar hierbas estimulantes (como el romero) por la mañana y relajantes (como el lúpulo y la melisa) por la noche.

MEZCLAS DE HIERBAS PARA INFUSIONES

Cada uno puede preparar sus propias mezclas con hierbas sueltas adquiridas en tiendas de productos naturistas o dietéticas. Existe una gran cantidad de mezclas tradicionales para infecciones urinarias y trastornos renales, problemas de vesícula biliar, dolores de garganta, tos e indigestiones. Otras son conocidas por sus efectos sedantes. Una buena mezcla de hierbas se prepara con un máximo de cuatro a siete diferentes. Si se agrega una mayor cantidad, se pierden los efectos específicos de cada una. Las mezclas consisten en general en una dominante y principal y otras agregadas para promover la acción curativa. A veces, incluyen otros ingredientes naturales, como flores de maravilla, floraciones de malvarrosa o frutos de rosa mosqueta para mejorar el sabor y el aspecto.

Verter una taza de agua hirviendo sobre una o dos cucharaditas de la mezcla de hierbas. Dejar reposar durante cinco a diez minutos.

ALOE VERA

GEL HERBAL PARA LA PIEL

Se cree que Nefertiti y Cleopatra le debieron su belleza irresistible en gran parte al aloe vera. Sin embargo, durante varios siglos, esta planta de gran valor no solo se ha utilizado con fines cosméticos. Los antiguos libros de hierbas de griegos, romanos y chinos destacaban el aloe vera por sus propiedades curativas. Lo recomendaban para aliviar dolores y como tratamiento para quemaduras, hemorroides y heridas. Alejandro Magno trataba a sus soldados heridos con aloe. Los mayas, diversas tribus estadounidenses nativas y los monjes tibetanos desarrollaron varios remedios con aloe vera. En la actualidad, el aloe se utiliza como planta ornamental y medicinal en muchos países del mundo. En el Caribe, el jugo de aloe aún se utiliza como remedio popular.

CÓMO RECONOCER EL ALOE VERA

***Aloe vera* silvestre de Madeira.**

Existen más de 200 especies. A pesar de que la mayoría de ellas se asemeja al cactus, en realidad pertenecen a la familia de las azucenas. Algunas especies se asemejan al ágave. Solo se utiliza el aloe genuino, *Aloe vera barbadensis,* con fines medicinales. Esta especie es común en el este y el sur de África, así como también en las zonas más áridas de Europa, América y ciertas partes de la India y Australia. La planta de aloe vera tiene un tallo corto que presenta una roseta de hojas de aproximadamente 50 cm de longitud y 5 cm de ancho. Las hojas poseen espinas de color púrpura en los extremos y segregan un gel acuoso y muy amargo cuando se las corta. Las plantas cultivadas en su hábitat natural desarrollan espigas altas de flores, en su gran mayoría, de color anaranjado.

CULTIVO Y COSECHA

El aloe requiere suelos de buen drenaje levemente fertilizados durante la primavera y el verano.

En zonas heladas durante el invierno, el aloe vera debe cultivarse en invernaderos para que pueda producir el gel que contiene cantidades adecuadas de ingredientes activos de uso medicinal. Las plantas requieren de un cuidado sencillo. Necesitan poca agua durante el invierno. En verano, pueden transplantarse de la maceta a lugares soleados del jardín. Sin embargo, es preciso volver a plantarlas en la maceta y transportarlas a interiores antes de la primera helada. El aloe se autopropaga a través de brotes. Para uso externo, cosechar las hojas más antiguas e inferiores.

EL VERDADERO VALOR DEL ALOE VERA

La savia viscosa de las hojas se utiliza con fines medicinales. El aloe contiene una gran cantidad de ingredientes activos. Entre ellos se encuentran el mucílago, las vitaminas B, los minerales, la aloína amarga, aminoácidos esenciales y polisacáridos (largas cadenas de moléculas de glucosa). La eficacia de la planta sobre el sistema inmunológico se debe a una sustancia llamada acemanan. El acemanan es un tipo de defensa celular que el organismo humano puede fabricar hasta alcanzar la pubertad. Luego, la sustancia debe obtenerse de los alimentos. El fortalecimiento del sistema inmunológico por parte del acemanan ayuda al organismo a combatir todo tipo de infecciones. El aloe también resulta eficaz para tratar daños provocados por radiación. El mucílago presente en sus hojas se utiliza para aliviar el dolor, detener inflamaciones y promover la curación de heridas.

Fortalece el sistema inmunológico, contribuye a la digestión y sirve para enfermedades cutáneas.

EFECTOS COLATERALES NO DESEADOS

El jugo fresco de las hojas cortadas no debe utilizarse en forma interna. Actúa como un laxante demasiado fuerte y puede provocar carencias graves de potasio y magnesio, y causar constipación o arritmia.

USO ADECUADO

En África, Australia y el Caribe, el jugo de las hojas cortadas se vierte en recipientes, se cocina sobre el fuego o en una marmita doble a baño María y se convierte en polvo. Este polvo se utiliza luego para preparar un gel de uso externo o jugos, comprimidos, cápsulas, aceites, ungüentos o supositorios de uso interno. La aloína, responsable del efecto laxante del aloe, es eliminada de una gran cantidad de preparados.

Los preparados que no contienen aloína son adecuados para uso interno.

HOJAS FRESCAS

El gel refrescante de aloe produce los mejores resultados. Quebrar una hoja inferior y retirar las espinas. Cortar la hoja por el medio y colocar la mitad directamente sobre la región afectada de la piel, o bien retirar el gel del interior de la hoja y aplicarlo. Las hojas frescas pueden conservarse en el refrigerador durante algunos días.

GEL

Este tipo de preparado se distribuye a nivel comercial y está destinado a uso externo.

TRATAMIENTO CON JUGO

Mezclar 20-30 ml de jugo de aloe con 500 ml de jugo de frutas (por ejemplo, de ananá o naranja) o jugo de hierba de trigo, de acuerdo con el sabor y efectos deseados. Beber tres veces al día durante aproximadamente tres semanas.

MÁSCARA FACIAL

Aplicar simplemente una capa abundante de gel de aloe vera sobre el rostro y dejar secar. Si la piel se siente demasiado tensa, mezclar un poco de aceite de almendra, jojoba o cualquier otro aceite que sirva como base de la máscara. También es posible agregar gel de aloe a cualquier máscara ya preparada o casera. La siguiente receta es para preparar una máscara facial casera para todo tipo de piel.

- ***Ingredientes:*** 1 cucharadita de gel de aloe vera, 2 cucharadas de yogur descremado.
- ***Modo de preparación:*** mezclar el gel de aloe vera con el yogur y aplicar la mezcla sobre el rostro y el cuello. Dejar actuar durante veinte minutos y luego enjuagar con agua tibia.

CASOS EN LOS QUE PUEDE UTILIZARSE

El aloe es una hierba ideal para el cuidado de la piel. Promueve, además, la curación de heridas y reduce cicatrices. Una dieta que incluya jugo de aloe vera también permite fortalecer el sistema inmunológico.

PRINCIPALES APLICACIONES

TRASTORNOS	APLICACIONES SUGERIDAS
Acné	Aplicar gel de aloe vera; utilizar una máscara facial de gel.
Inmunodeficiencia	Refresco preparado con jugo de aloe vera.
Cicatrices	Masajear la región afectada con gel o crema de aloe vera.
Quemaduras del sol	Aplicar gel de aloe vera o mucílago de una hoja fresca de aloe.
Heridas	Aplicar gel de aloe vera o mucílago de una hoja fresca de aloe.

CUIDADO DE LA PIEL

El aloe vera penetra y actúa sobre las capas internas de la piel. Sus ingredientes activos aceleran la regeneración celular, evitan la sequedad y proporcionan un aspecto más suave y terso. Protege del sol intenso y calma las quemaduras solares. Por eso, se utiliza como ingrediente principal en una gran cantidad de protectores solares.

• ***Quemaduras del sol***

Una vez que la piel se haya refrescado, continuar con la aplicación de aloe vera hasta que desaparezca el color rojizo. También puede cortarse una hoja fresca y permitir que el gel se derrame sobre la región afectada por quemaduras.

• ***Heridas***

Al aplicarlo sobre las heridas, el gel (o jugo fresco de una hoja cortada) acelera el proceso de curación y reduce el riesgo de cicatrices.

• ***Cicatrices***

Masajear las cicatrices en forma periódica con gel o crema de aloe vera.

• ***Acné***

Aplicar gel todas las mañanas y todas las noches, y tratar la piel con una máscara facial de gel una o dos veces por semana.

APLICACIÓN

El jugo de una hoja de aloe vera recién cortada calma el ardor de la piel irritada por el sol.

DESÓRDENES DEL SISTEMA INMUNOLÓGICO

Las infecciones bacterianas, fúngicas o virales recurrentes, con frecuencia, provocan resfríos, infecciones urinarias y otras afecciones. Como el aloe vera fortalece el sistema inmunológico, es un agente profiláctico eficaz contra diversas enfermedades infecciosas. Se cree incluso que la hierba mejora de manera significativa la capacidad del organismo de combatir células cancerígenas. El aloe vera acelera la regeneración de todo tipo de células presentes en el organismo y ayuda a reparar el daño provocado por toxinas del medio ambiente y por radiación.

• ***Inmunodeficiencia, alergias***

Beber jugo de aloe vera sin aloína durante tres semanas. Una mezcla de partes iguales de aloe y jugo de hierba de trigo resulta ideal.

• ***Prevención general de enfermedades***

Beber jugo de aloe vera en primavera y otoño.

ORTIGA

SALUD Y BELLEZA

La ortiga es considerada con frecuencia como una maleza molesta por aquellos que no conocen sus importantes propiedades curativas. En un principio sirvió como diurético y como remedio para dolores en las articulaciones. En forma más reciente, las raíces de la planta de ortiga se utilizan para aliviar síntomas asociados con el aumento de tamaño benigno de la próstata.

Ortiga mayor florecida

CARACTERÍSTICAS

Las hojas tienen bordes aserrados y ambos lados son vellosos. Al frotar sobre ellas, la pubescencia se desprende, permanece en la piel y produce una sensación incómoda de ardor. Esta propiedad distingue a la ortiga mayor y menor de la blanca, que no provoca ardor ni picazón en la piel. La mayor (*Urtica dioica*), una planta perenne, alcanza una altura aproximada de hasta 1,80 m y produce flores pequeñas de color verdoso. La menor (*Urtica urens*) crece hasta los 90 cm. Ambas especies producen frutos pequeños similares a la nuez. Una vez maduros, los frutos son de color marrón claro y su aroma es similar al de las zanahorias.

CULTIVO Y COSECHA

La ortiga menor provoca un ardor más intenso que la mayor.

La ortiga puede cultivarse a partir de semillas plantadas en noviembre o diciembre. Requieren de altas temperaturas del suelo para prosperar. Para obtener mejores resultados, cubrir el suelo con una red delgada de color claro después de sembrar las semillas. También puede propagarse al dividir la raíz en dos y plantar cada mitad como una planta individual.

Los brotes se cosechan para preparar jugos frescos y la parte superior de la planta se emplea para preparar hierbas secas. Cuando las plantas tienen al menos tres años, sus raíces se encuentran lo suficientemente maduras como para ser cosechadas. Cosechar en otoño o primavera. Los frutos, en marzo o abril.

LA EFICACIA DE LA ORTIGA

Los frutos deben almacenarse en cajas de cartón.

La parte superior de la planta es muy rica en taninos, minerales (en especial hierro), vitaminas A y C y flavonoides. Los frutos contienen proteínas, mucílago y altas cantidades de ácidos grasos no saturados.

La pubescencia produce el famoso efecto de ardor al inyectar pequeñas cantidades de acetilcolina, serotonina y ácido fórmico en la piel. La ortiga actúa como diurético. Estimula además la producción de glóbulos rojos y bilis, y es un expectorante eficaz. Debido a la presencia de taninos, la hierba ha sido utilizada tradicionalmente como tratamiento para malestares estomacales y diarrea. El betasitosterol, presente en las raíces, es el ingrediente activo responsable de la capacidad de la planta de aliviar diversos síntomas asociados con el aumento de tamaño benigno de la próstata. Los frutos de la ortiga se recomiendan en especial como tónico para pacientes de edad avanzada.

EFECTOS COLATERALES NO DESEADOS

El uso interno de las raíces de la ortiga puede provocar, en algunos casos, malestares gastrointestinales leves. Nunca debe utilizarse para tratar edemas provocados por una función renal o cardíaca deteriorada. Siempre debe consultarse al médico si se sufren enfermedades renales o cardíacas.

USO ADECUADO

Como la ortiga se desarrolla casi en cualquier lugar, en primavera y verano puede prepararse una gran cantidad de los siguientes remedios en forma casera. Diversos preparados y suplementos pueden adquirirse también en tiendas de productos naturistas.

TÉ

• ***Infusión:*** verter una taza de agua caliente sobre una o dos cucharaditas de hierba seca. Dejar reposar durante diez minutos, y luego filtrar.
• ***Decocción:*** colocar una o dos cucharaditas de ortiga seca y trozada en un recipiente de cerámica. Agregar una taza grande de agua fría. Cubrir y llevar a ebullición sobre el fuego. Transcurrido un minuto, retirar el recipiente del fuego. Mantener el té tapado y dejar reposar durante diez minutos, y luego filtrar.

TINTURAS

Lavar raíces frescas, picarlas y colocarlas en un frasco de vidrio con tapa. Agregar alcohol al 45% hasta que las raíces se encuentren cubiertas. Cerrar el frasco en forma hermética y dejar reposar durante tres semanas; agitar la mezcla periódicamente. Filtrar y verter el contenido en botellas de vidrio oscuro. La tintura de ortiga también puede adquirirse en comercios.

JUGO DE ORTIGA

El jugo de ortiga debe prepararse fresco todos los días. Esta forma de la hierba es la más eficaz.
Siempre debe diluirse el jugo de ortiga. Utilizar una parte de jugo para cinco partes de agua. En lugar de agua, también puede utilizarse suero de leche.

CONSEJO: CONSERVACIÓN DE LAS HOJAS

En caso de que no le sea posible recolectar hojas frescas de ortiga todos los días, es conveniente contar con una reserva lista para varios días. Las hojas de ortiga pueden envolverse en toallas húmedas y conservarse en el refrigerador, lo que permitirá mantenerlas frescas durante unos días.

FRUTOS

Los frutos de la ortiga molidos con ayuda de un molinillo de pimienta o café o bien triturados en un mortero pueden utilizarse en forma interna o aplicarse en cataplasmas.

Las hojas frescas de ortiga pueden ingerirse en ensalada.

SUPLEMENTOS

Betasitosterol, el ingrediente activo utilizado para tratar el aumento de tamaño benigno de la próstata, se encuentra presente en las raíces de la planta de ortiga. El extracto de raíz de ortiga se produce a nivel comercial y puede adquirirse en forma de cápsulas en tiendas de productos naturistas o dietéticas.

TINTURA ALCOHÓLICA

La tintura alcohólica de ortiga, que se emplea para efectuar masajes en articulaciones afectadas, aliviar gota y reumatismo, puede adquirirse en tiendas de productos naturistas.

PREPARADOS HOMEOPÁTICOS

El remedio homeopático "Urtica urens" se prepara con la ortiga menor. Se utiliza para tratar alergias cutáneas relacionadas con la urticaria, así como también trastornos renales y gota.

CASOS EN LOS QUE PUEDE UTILIZARSE

Los preparados de ortiga se utilizan principalmente para tratar malestares renales, de vejiga y de próstata. También se emplean como tónico para pacientes que sufren agotamiento general.

PRINCIPALES APLICACIONES

MALESTARES	APLICACIONES SUGERIDAS
Piel manchada	Efectuar un tratamiento con té de ortiga.
Aumento de tamaño de la próstata	Ingerir un suplemento o tintura.
Gota	Beber té; ingerir frutos o aplicarlos en cataplasmas; tintura alcohólica para masajes.
Caída del cabello, caspa	Enjuagar el cabello con decocción de ortiga.
Reumatismo	Beber té, ingerir frutos o aplicarlos en cataplasmas; tintura alcohólica de ortiga para masajes en las articulaciones.
Cálculos renales pequeños	Beber té de ortiga.
Fatiga de primavera	Efectuar un tratamiento con jugo fresco de ortiga.
Infecciones urinarias	Beber té de ortiga.

FATIGA ESTACIONAL, AGOTAMIENTO

Un tratamiento con jugo fresco de ortiga o frutos de esta hierba actúa como tónico general, y se recomienda en caso de fatiga estacional o agotamiento provocado por estrés mental o emocional o por una enfermedad prolongada. Comenzar con tres cucharaditas de jugo de ortiga por día. Después de tres días, aumentar la dosis a cuatro cucharaditas. Continuar agregando una cucharadita más cada tres días hasta alcanzar la dosis máxima de diez por día.

CONSEJO: MEZCLAS Y COMBINACIONES

Para efectuar un tratamiento con jugo fresco, combinar la ortiga con otras hierbas, tales como el diente de león, el llantén, la cola de caballo o equiseto, el berro, la hierba de San Juan, el lúpulo, el ajo silvestre alpino, la angélica e incluso algunas flores de expillo. La mitad del jugo debe ser de ortiga y la otra mitad de hierbas a elección.

TRASTORNOS DEL TRACTO URINARIO

El té de ortiga resulta ideal para desinflamar el tracto urinario cuando se sufre alguna infección urinaria, o para evitar o tratar cálculos renales pequeños. Para todos los desórdenes del tracto urinario es esencial beber una gran cantidad de líquidos.

Beber al menos de seis a ocho tazas de té de ortiga por día.

HIPERTROFIA DE PRÓSTATA

Este estado requiere controles médicos periódicos.

Los síntomas del aumento de tamaño benigno de la próstata consisten en dificultades para evacuar la vejiga, tales como el flujo urinario irregular o la necesidad frecuente de orinar.

La enfermedad debe ser diagnosticada por un médico. Si se encuentra en la etapa inicial, los remedios de hierbas son con frecuencia eficaces para aliviar los síntomas.

Ingerir un preparado de ortiga a diario de acuerdo con las instrucciones de la etiqueta del producto, o 20 gotas de tintura de ortiga tres veces al día.

REUMATISMO Y GOTA

En caso de sufrir gota o reumatismo que afecte las articulaciones y los músculos, es necesario erradicar el ácido úrico del cuerpo y utilizar preparados de ortiga de uso externo.

Efectuar un tratamiento de tres semanas con ortiga. Beber cinco tazas de té o ingerir una o dos cucharaditas de frutos triturados a diario. Masajear las articulaciones y los músculos adoloridos con tintura alcohólica de ortiga, o aplicar una cataplasma con frutos de ortiga triturados.

EL CABELLO Y LA PIEL

Precaución: los tallos de la ortiga pueden decolorar el cabello.

La ortiga desintoxica y purifica la sangre. Estas propiedades la convierten en una hierba en especial adecuada para tratar pieles manchadas. También puede emplearse como tónico capilar de Kneipp.

• ***Piel manchada***

Efectuar un tratamiento con ortiga. Beber de cuatro a seis tazas de té, o ingerir jugo fresco de ortiga (tal como se recomienda para la fatiga estacional) en forma diaria, durante cuatro semanas.

• ***Caída del cabello, caspa***

Para preparar el tónico capilar de Kneipp, hervir 200 g de hojas frescas de ortiga durante media hora en un litro de agua, y luego filtrar. Masajear el cabello y la nuca con el tónico antes de ir a dormir.

GINKGO

UN TÓNICO PARA LA MENTE

Hace aproximadamente 200 millones de años, una gran cantidad de miembros de la familia del ginkgo prosperaban en todo el mundo. Todas excepto una de estas especies desaparecieron cuando otros árboles caducifolios se adueñaron de su hábitat. El árbol de ginkgo biloba es el único que sobrevivió, como una especie de fósil viviente, y aún puede encontrarse tal cual como era en sus orígenes, en regiones pequeñas del este de Asia.

La medicina china utiliza tradicionalmente sus semillas para tratar el asma, la tos y el alcoholismo. Las semillas crudas parecen evitar el desarrollo de tumores, mientras que las cocidas actúan como digestivo. En Europa, las hojas de ginkgo fueron utilizadas como vendajes para heridas y para preparar mezclas para cataplasmas aplicadas para aliviar las quemaduras provocadas por el congelamiento. La infusión solía ser un remedio popular contra bronquitis, asma, tos y malestares gastrointestinales. También era útil como tratamiento para la infertilidad, tuberculosis y desórdenes metabólicos. En la actualidad, el extracto se utiliza principalmente para mejorar la circulación sanguínea al cerebro.

El árbol de ginkgo tiene hojas bilobuladas características.

CÓMO RECONOCER EL ÁRBOL DE GINKGO

Los árboles de ginkgo pueden crecer hasta una altura de aproximadamente 40 metros. Poseen copas de gran tamaño y hojas bilobuladas de tallos largos. Florecen desde los veinte a treinta años como mínimo. Los frutos se asemejan a las nueces. A diferencia de estas, que contienen mayormente lípidos, poseen principalmente almidones. Las vainas externas carnosas de las semillas contienen toxinas cuya función consiste en proteger el árbol contra las plagas. Estas toxinas pueden irritar la piel.

CULTIVO Y COSECHA

Si se desea cultivar un árbol de ginkgo, es conveniente comprar una planta pequeña en un vivero. Es necesario protegerla de las heladas durante los primeros cinco años. Una vez transcurrido este lapso, es probable que el árbol ya haya alcanzado más de 1,80 m de altura.

Es necesario utilizar guantes al retirar las vainas de las semillas.

Solo se utilizan las hojas del árbol para preparar el extracto. Estas hojas provienen, con frecuencia, de árboles cultivados en plantaciones del sur de Francia, América del Norte, China, Japón y Corea. Las hojas de ginkgo pueden cosecharse por separado o en varas. La cosecha se lleva a cabo en otoño cuando la planta contiene la mayor cantidad de ingredientes activos.

EL VERDADERO VALOR DEL GINKGO

Remedio eficaz para aumentar la circulación sanguínea en el cerebro.

Los principales ingredientes activos del ginkgo con los flavona-glicósidos, ginkgolidos y bilabolidas, que pertenecen al grupo de compuestos químicos denominados terpeno-lactonas. El extracto de ginkgo ayuda principalmente a mantener una función metabólica adecuada del cerebro, incluso cuando existe un suministro reducido de oxígeno. Es también un purificador de radicales libres y actúa como anticoagulante, y así permite mejorar la circulación en los pequeños capilares y facilita la eliminación de desechos metabólicos. Como consecuencia de estos efectos, el extracto puede detener el progreso del mal de Alzheimer.

EFECTOS COLATERALES NO DESEADOS

Los extractos son muy seguros. Las reacciones alérgicas, poco frecuentes, son el único efecto colateral conocido. Las semillas son levemente tóxicas y no deben suministrarse a los niños. Incluso los adultos deben consumir pequeñas cantidades. No utilizar las vainas de las semillas. Pueden provocar inflamaciones graves del tracto gastrointestinal y los riñones.

USO ADECUADO

Puede prepararse infusión de hojas en forma casera, pero no extracto. Los ingredientes activos de la planta se extraen en gran medida con alcohol, mediante un proceso que elimina algunos compuestos y sustancias tóxicas que podrían reducir los efectos terapéuticos de la hierba.

COMPRIMIDOS, CÁPSULAS O EXTRACTO LÍQUIDO

Un extracto especial preparado con las hojas verdes y secas de ginkgo puede adquirirse en forma de cápsulas, líquido o en comprimidos solo en tiendas de productos naturistas y dietéticas. También pueden adquirirse gotas especiales sin contenido de alcohol.

TÉ

Si bien el té de ginkgo posee un sabor agradable y aromático, su eficacia no ha sido clínicamente demostrada.

RECETA

Verter una taza de agua hirviendo sobre dos o tres cucharaditas de hojas de ginkgo. Dejar reposar durante diez minutos y luego filtrar. Agregar miel a gusto.

CASOS EN LOS QUE PUEDE UTILIZARSE

★ ***Importante:*** en general, aquellas personas que sufren afecciones tratadas en la mayoría de los casos con ginkgo deben consultar al médico.

PRINCIPALES APLICACIONES

MALESTARES	APLICACIONES SUGERIDAS
Problemas circulatorios	Ingerir extracto de ginkgo.
Mareos	Ingerir extracto de ginkgo.
Pérdida de la memoria	Ingerir extracto de ginkgo.
Zumbidos en los oídos	Ingerir extracto de ginkgo.

La perdida de la memoria, la falta de concentración y la depresión, síntomas asociados con el mal de Alzheimer, pueden tratarse con éxito con ginkgo. En algunos casos, el avance de la enfermedad puede incluso detenerse. Se cree que el ginkgo mejora el funcionamiento de las células nerviosas remanentes en el cerebro del paciente y las protege del daño. La eficacia del extracto de ginkgo para tratar tales condiciones ha sido demostrada clínicamente. Sin embargo, no puede asegurarse lo mismo de la infusión.

FALTA DE CIRCULACIÓN EN LAS PIERNAS

En caso de sufrir dolores periódicos al caminar debido a una circulación sanguínea insuficiente en las piernas (obstrucción arterial periférica), el ginkgo combinado con una terapia física ayuda a aumentar la capacidad de caminar sin dolor.

ZUMBIDOS EN LOS OÍDOS

El ginkgo también resulta un remedio eficaz para los zumbidos en los oídos, los mareos y dolores de cabeza que son consecuencia de una circulación sanguínea reducida en el cerebro.

★ ***Importante:*** consultar con el médico en forma inmediata en caso de sufrir una pérdida abrupta de la audición o sordera. En caso de tener mareos, también es necesario consultar a un especialista.

GINSENG

TRATAMIENTO INTEGRAL PARA EL CUERPO Y EL ALMA

La "raíz masculina" se considera "el príncipe de los remedios".

La planta de ginseng ha ocupado siempre su lugar de privilegio entre los remedios utilizados por la medicina asiática durante cientos de años. Su nombre en chino es "jen-shen", y significa "raíz masculina". Su efecto moderado y armonizante sobre el cuerpo y el alma le ha otorgado a la hierba el título de "príncipe de los remedios". En 1842, el ginseng también se denominaba "panax", cuyo significado es "panacea". Se cree que la raíz de ginseng fue importada a Europa por navegantes árabes a mediados del siglo IX a. C. Desde el siglo XVII hasta mediados del siglo XIX, fue popular como tónico, principalmente entre los miembros de la realeza. Sin embargo, el entusiasmo por esta hierba disminuyó cuando raíces de ginseng menos costosas y menos potentes se abrieron camino hacia Europa y ocuparon el lugar de las costosas raíces asiáticas.

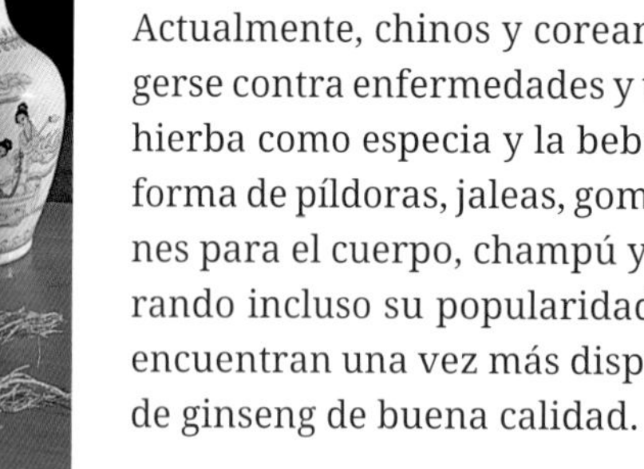

La raiz de ginseng tiene un gusto entre amargo y dulce.

Actualmente, chinos y coreanos mastican raíz de ginseng para protegerse contra enfermedades y toxinas del medio ambiente, utilizan esta hierba como especia y la beben en té. El ginseng puede adquirirse en forma de píldoras, jaleas, goma de mascar, limonada, caramelos, lociones para el cuerpo, champú y hasta cigarrillos. La hierba está recuperando incluso su popularidad en Europa, donde los consumidores se encuentran una vez más dispuestos a pagar un precio justo por raíces de ginseng de buena calidad.

CÓMO RECONOCER EL GINSENG

El ginseng silvestre (*Panax ginseng C. A. Meyer*) es originario de los bosques montañosos de las regiones de clima moderado del norte de Asia, noreste de China y la península de Corea. La planta también se cultiva para uso medicinal en Japón, Tailandia, Rusia, Canadá y América del Norte, pero las raíces cultivadas en estas regiones son de calidad inferior.

El ginseng es un arbusto perenne que alcanza una altura máxima de aproximadamente 90 cm y produce frutos comestibles de color rojo brillante. Los tallos simples y delicados tienen hojas compuestas de bordes aserrados. La parte de la planta utilizada por sus propiedades medicinales es la raíz larga, carnosa, de color amarillo claro a marrón y aterciopelada. Es aromática y de sabor amargo, pero con cierto dejo dulce.

CULTIVO Y COSECHA

Su cultivo es muy complejo y demanda una gran cantidad de tiempo. Las semillas necesitan hasta dos años para germinar. Se requieren al menos otros cuatro a seis años para que la planta desarrolle bien la raíz y pueda ser cosechada para uso medicinal. De acuerdo con el tipo de proceso utilizado, la raíz del ginseng chino o coreano se convierte en ginseng blanco o rojo. La raíz del ginseng blanco se cosecha luego de cuatro años, se seca en forma inmediata y luego es procesada. Para obtener el ginseng es necesario vaporizar y luego secar las raíces frescas cosechadas de plantas de al menos seis años de edad. Durante el proceso, las raíces adquieren un color rojo anaranjado, se endurecen y se tornan prácticamente transparentes.

La calidad del ginseng depende de la especie y el cultivo.

EL VERDADERO VALOR DEL GINSENG

Los principales ingredientes activos de la raíz de ginseng son los ginsenósidos presentes en altas concentraciones principalmente en la vellosidad de la raíz. Otros ingredientes incluyen aceites volátiles, vitaminas, minerales y microminerales. El maltol, un producto derivado del proceso específico utilizado para conservar el ginseng rojo, parece desempeñar un papel importante en la capacidad de la raíz de evitar ciertos procesos de envejecimiento.

El ginseng americano contiene una menor cantidad de ginsenósidos.

El ginseng estimula el sistema nervioso central, acelera la transmisión de impulsos nerviosos y aumenta la absorción de oxígeno de las células. Regula el sistema inmunológico y las funciones metabólicas, la presión arterial y la glucosa en sangre. Ejerce un efecto beneficioso sobre la flora intestinal y ayuda al organismo a liberar toxinas con gran rapidez y de manera eficaz. Además, aumenta en forma temporaria el vigor físico y protege el organismo de daños potenciales por radiación, infecciones, venenos y contra los efectos del estrés físico y psicológico.

EFECTOS COLATERALES NO DESEADOS

El ginseng es muy seguro, incluso para su uso prolongado. No crea dependencia y, si se ingieren las dosis recomendadas, no existe riesgo alguno de efectos colaterales.

USO ADECUADO

Para obtener los mejores resultados, es conveniente comprar productos estandarizados con cantidades certificadas de ginsenósidos en un lugar de confianza. Existe una gran cantidad de productos en el mercado que poseen diversas cantidades y calidades de ginseng. El ginseng auténtico tiene un costo elevado. El precio en general refleja el contenido de ginsenósidos.

El uso prolongado de ginseng es seguro, incluso en personas mayores y enfermos crónicos.

EXTRACTOS

Los extractos contienen altas concentraciones de los ingredientes activos de la raíz, son solubles y con frecuencia no contienen pesticidas. Se venden en forma de cápsulas, polvos, comprimidos o líquidos concentrados.

POLVO DE GINSENG

Esta es la forma más común de administración utilizada por la medicina china tradicional. El polvo también puede adquirirse en cápsulas, lo que facilita la administración de la dosis adecuada.

INFUSIÓN

También se consigue como hierba seca para preparar infusiones, e incluso fraccionado en bolsitas. Sin embargo, es posible que estos productos no sean de ginseng puro, ya que la mayoría contiene azúcar y otros aditivos.

TÓNICOS

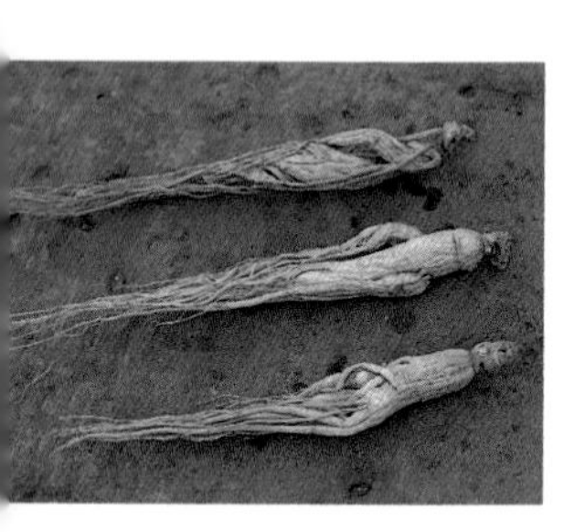

Los tónicos en general son de menor calidad, al igual que los elixires y preparados con ginseng y otras hierbas o ingredientes. Estos productos contienen con frecuencia cantidades mínimas de ginseng.

RAÍCES FRESCAS Y SECAS

Por lo general, las raíces frescas son tratadas con una gran cantidad de conservantes. Las raíces secas y enteras son difíciles de masticar. Si se encuentran saturadas con miel, es posible cortarlas en trozos para facilitar la masticación. Resulta casi imposible determinar la pureza de las raíces o la cantidad de ingredientes activos que contienen.

CASOS EN LOS QUE PUEDE UTILIZARSE

El ginseng es un tónico general y panacea para casi todos los problemas. Es en especial adecuado para tratar los desórdenes crónicos característicos de la civilización moderna de una gran cantidad de países industrializados.

ESTRÉS FÍSICO Y MENTAL

Los exámenes escolares, la participación en deportes de competición, el estrés laboral o diario; estas son solamente algunas de las situaciones de la vida que pueden provocar demasiada carga sobre el organismo. Las toxinas y la radiación en la casa o el trabajo son factores ambientales que afectan de manera adversa los niveles de energía y la agudeza mental. Las adicciones perjudiciales, tales como el tabaquismo, exacerban el problema.

PRINCIPALES APLICACIONES

MALESTARES	APLICACIONES SUGERIDAS
Quimioterapia, radiación	Tratamiento con ginseng antes, durante y después.
Enfermedades crónicas	Ingerir ginseng a diario durante un tiempo prolongado.
Deficiencias circulatorias	Ingerir ginseng.
Inmunodeficiencia	Tratamiento con ginseng.
Impotencia	Tratamiento con ginseng.
Agotamiento físico o mental	Tratamiento con ginseng.
Rayos X	Triplicar la dosis de antemano y efectuar un tratamiento con ginseng de cuatro semanas después de la exposición.

Aquellos que atraviesan un período de estrés en sus vidas o falta de concentración, dolores de cabeza o fatiga pueden obtener beneficios del ginseng. Esta hierba permite aumentar la tolerancia corporal al estrés y mejora el vigor mental y físico. A diferencia de los sedantes sintéticos, ejerce un efecto moderado y equilibrado que calma sin provocar sensación de flotar, como ocurre con los tranquilizantes artificiales. Además, vigoriza sin sobreestimular el organismo.

Ingerir ginseng antes y durante períodos cortos de estrés. Dosis: tres gramos diarios durante una semana y continuar el tratamiento por otras cuatro semanas con la dosis normal (de uno a dos gramos diarios). Descansar un tiempo (cuatro semanas como mínimo) y repetir el tratamiento si fuera necesario.

ENFERMEDADES CRÓNICAS

El ginseng reduce los efectos colaterales de la quimioterapia y la radiación.

El ginseng fortalece el sistema inmunológico y reduce la incidencia de resfríos. También moviliza las defensas del cuerpo contra células cancerígenas y facilita la prevención de diversos tumores. Debido a su función de regulación de todo el metabolismo, puede utilizarse junto con los tratamientos médicos convencionales para una gran cantidad de enfermedades, entre ellas, gota, reumatismo, presión arterial elevada, colesterol elevado, arteriosclerosis y diabetes. Los pacientes con frecuencia experimentan una importante reducción en síntomas secundarios asociados con estos desórdenes tales como nerviosismo, insomnio, depresión, fatiga y falta de energía general.

★ ***Importante:*** el ginseng puede utilizarse en forma conjunta con tratamientos médicos convencionales. Es conveniente consultar con el médico acerca del uso y no interrumpir nunca la medicación ni reemplazarla por ginseng.

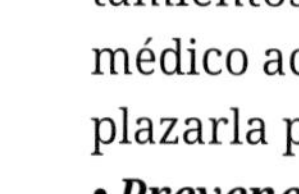

- ***Prevención:*** en caso de efectuar ejercicios físicos y alimentarse a base de una dieta balanceada y sentir que es necesario hacer algo más para protegerse de las enfermedades, es posible efectuar un tratamiento periódico con ginseng e ingerir uno o dos gramos por día durante cuatro semanas.
- ***Enfermedades crónicas:*** en caso de sufrir una enfermedad crónica, puede ingerirse uno o dos gramos de ginseng por día en forma periódica, incluso durante meses o años. En los períodos agravados de salud, es posible aumentar la dosis de tres a cinco gramos por día durante una o dos semanas.

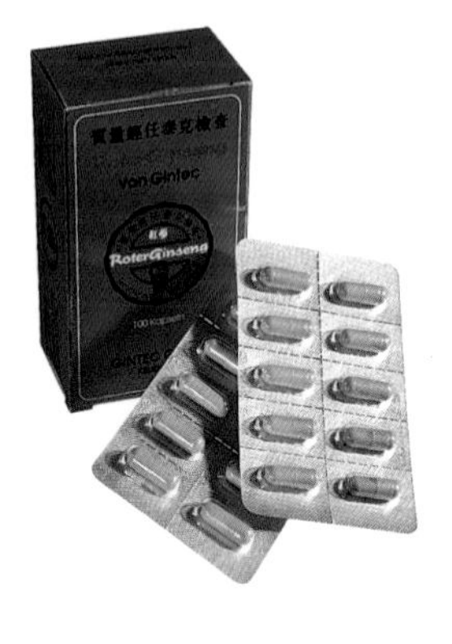

- ***Rayos X:*** ingerir una dosis triple (de tres a seis gramos) de ginseng separado en dos dosis, dos días antes de la exposición. Después de los rayos X, continuar con el tratamiento con la dosis normal (uno o dos gramos por día) por cuatro semanas o, en caso de enfermedad crónica, por un período mayor.
- ***Quimioterapia o radiación:*** dos días antes de comenzar con la terapia, ingerir cinco gramos de ginseng por día, separados en dos dosis. Durante la terapia, ingerir tres gramos por día. Luego, continuar con uno o dos gramos por día durante al menos un año.

SIGNOS DE ENVEJECIMIENTO

El ginseng contribuye de manera moderada a diversas funciones de regulación en el organismo que tienden a deteriorarse con la vejez. La raíz tiene propiedades que permiten mejorar el ánimo, en especial, en personas de edad avanzada.

Efectuar un tratamiento, aproximadamente cada dos años, e ingerir de uno a dos gramos de ginseng por día durante cuatro semanas.

IMPOTENCIA

La impotencia debida a una falta de deseo sexual, estrés o niveles reducidos de hormonas sexuales puede tratarse de manera efectiva con ginseng. La hierba puede aumentar la libido femenina y masculina. En muchos casos, el ginseng permite incluso aumentar la cantidad de esperma.

Efectuar un tratamiento con ginseng e ingerir dos gramos por día durante cuatro semanas. Descansar cuatro semanas y después, repetir el tratamiento.

HIERBA DE SAN JUAN

INTENSIFICADOR NATURAL DEL ÁNIMO

Siglos atrás, la hierba de San Juan era conocida como la planta del sol, una hierba capaz de ahuyentar demonios y levantar el ánimo. Se dice que la planta proviene de la sangre de San Juan Bautista. Han surgido numerosos mitos y leyendas en torno de la hierba y le han conferido el poder de prevenir la magia negra, exorcizar al diablo y deshacer los hechizos de las brujas.

Paracelso cantó alabanzas a la hierba de San Juan hace más de 450 años, y destacó sus "efectos curativos sobre heridas, huesos quebrados y todo tipo de desánimo...". En ese momento, la planta era uno de los remedios herbales más populares y conocidos, utilizado para curar heridas y úlceras, y como tratamiento para la depresión, la lumbalgia y los problemas menstruales. En estos últimos años, exámenes médicos han confirmado algunas de las propiedades medicinales de la hierba de San Juan, en especial, su efecto para mejorar el estado de ánimo. Estos resultados han recibido gran atención y han convertido una vez más a la hierba de San Juan, en uno de los remedios más populares.

CÓMO RECONOCER LA HIERBA DE SAN JUAN

La hierba de San Juan (*Hypericum perforatum*) se encuentra en Europa y Asia occidental. Prefiere suelos secos, gredosos o de tierra negra, y prospera en terrenos baldíos, a orillas de los ríos, a la vera de los caminos

Flores de la hierba de San Juan secas y en aceite.

También se la conoce como hipérico o corazoncillo.

y en los alrededores de bosques. Alcanza una altura aproximada de 90 cm. Solo la hierba de San Juan común es utilizada con fines medicinales. Es posible reconocerla por sus tallos y hojas tan características: los tallos tienen dos rebordes y las hojas parecen perforadas al trasluz. (Las "perforaciones" son en realidad glándulas sebáceas transparentes.) El punto de floración máximo de la planta tiene lugar alrededor de la fecha del nacimiento de San Juan Bautista, el 24 de junio, en el hemisferio norte. Los pétalos de color amarillo brillante presentan pintas pequeñas de color negro y segregan un tinte rojizo cuando se las tritura.

CULTIVO Y COSECHA

Esta planta, de flores color amarillo dorado, prospera en jardines. Es posible comenzar con semillas plantadas en recipientes no demasiado profundos, hacia fines de septiembre. Mantener los recipientes en lugares cálidos y soleados, y asegurarse de que el suelo se encuentre siempre levemente húmedo. Cuando los plantines tengan una altura aproximada de 5 cm, transplantar los más fuertes en un sector soleado del jardín. Colocarlos con una separación de aproximadamente 30 cm entre uno y otro. También se consiguen plantas de la hierba de San Juan en viveros. Es conveniente cosecharla unos días antes o después del punto máximo de floración, ya que se cree que ese es el momento en que es más rica en ingredientes químicamente activos, y como consecuencia, más potente como remedio. Es necesario elegir los brotes con flores más delicados y cortarlos al ras del suelo con un cuchillo o tijeras de podar. Sujetar las hierbas en ramos y colgarlos para que se sequen en un lugar oscuro y con buena ventilación.

EL VERDADERO VALOR DE LA HIERBA DE SAN JUAN

El principal ingrediente activo de la hierba de San Juan es la hipericina. Este compuesto químico se encuentra presente en el tinte rojo segregado por los pétalos de las flores trituradas. Otros constituyentes presentes en la parte superior de la planta son la hiperforina que, junto con la hipericina, son los responsables del efecto antidepresivo de la hierba, y otros compuestos, tales como flavonoides, taninos y aceites volátiles. La característica más destacada de la hierba es su acción sobre el sistema nervioso y el cerebro. Parece evitar la reacción del cuerpo a fuertes estímulos neuronales y levantar el ánimo. Estudios clínicos han demostrado que es eficaz para tratar depresiones entre leves y moderadas al igual que las drogas sintéticas (antidepresivos) que se utilizan comúnmente. Sin embargo, a diferencia de estas drogas, prácticamente no provoca efectos colaterales indeseados.

También promueve la curación de heridas, alivia el dolor, estimula la secreción de jugos gástricos y parece evitar la reproducción de virus.

No produce dependencia.

EFECTOS COLATERALES NO DESEADOS

Un efecto colateral posible es el aumento de la fotosensibilidad. Al ingerir la hierba, aquellas personas de piel muy blanca no deben exponerse al sol. La piel cubierta de aceite de hierba de San Juan no debe ser expuesta al sol.

Aquellas personas de piel muy blanca deben limitar su exposición al sol.

USO ADECUADO

La hierba de San Juan es eficaz tanto en forma de té como en forma de tintura o aplicada como aceite. Los preparados estandarizados que pueden adquirirse en comercios proporcionan las concentraciones más elevadas y consistentes de ingredientes químicamente activos.

INFUSIÓN

Puede prepararse infusión con flores y hojas o bien comprar la hierba seca. Se recomienda dejarla reposar en agua caliente o fría. Las infusiones (preparaciones con agua caliente) poseen un sabor más agradable que las decocciones (preparaciones con agua fría) ya que contienen una menor cantidad de taninos. Además, en general, es más fácil que el cuerpo tolere las infusiones.

• ***Infusión:*** verter una taza de agua hirviendo sobre dos cucharaditas de hierba seca trozada. Cubrir para evitar el dispersión de los aceites volátiles. Dejar reposar durante diez minutos y luego filtrar. Endulzar con miel, si se desea. Beber tibio.

• ***Decocción:*** colocar una o dos cucharaditas de hierba seca trozada en un recipiente de cerámica y agregar una taza de agua fría. Cubrir y llevar a ebullición sobre el fuego. Reducir el calor y dejar cocinar a fuego lento durante cinco minutos, luego filtrar. Beber tibio.

Hierba de San Juan seca y trozada para preparar infusión.

INFUSIÓN DE TÉ ROJO

El aceite de la hierba de San Juan se prepara con flores frescas. Es posible preparar aceite casero o bien adquirirlo en alguna tienda de productos naturistas.

• ***Ingredientes:*** pimpollos o flores frescas de hierba de San Juan, aceite de oliva.

• ***Modo de preparación:*** triturar dos puñados de flores abiertas y frescas con un mortero y colocarlas en un frasco o botella de vidrio con tapa. La hierba debe ocupar aproximadamente un tercio del frasco. Llenar hasta arriba con aceite de oliva. Mantener cerrado en forma hermética en un lugar cálido y soleado durante aproximadamente cuatro semanas. El aceite se tornará rojo brillante. Filtrar y luego verter en botellas de vidrio y guardarlas en un lugar oscuro.

CONSEJO: APLICAR SOBRE LA PIEL

En caso de utilizar aceite de hierba de San Juan en forma externa, masajear primero la región afectada para calentarla antes de aplicar el aceite. Esto mejorará la absorción en la piel.

TINTURAS

Este es otro preparado que puede hacerse en forma casera o comprarse en alguna tienda de productos naturistas.

RECETA

- ***Ingredientes:*** hierba fresca o seca, 500 cm^3 de alcohol al 70%
- ***Modo de preparación:*** verter el alcohol sobre un puñado de hierba fresca o seca. Dejar reposar en un frasco con cierre hermético durante dos semanas. Mantener el frasco o botella en un lugar oscuro y agitar bien periódicamente. Filtrar con ayuda de un lienzo fino y exprimir todo el líquido de las hierbas. Almacenar la tintura terminada en una botella de vidrio oscuro con cierre hermético en un lugar oscuro.

SUPLEMENTOS

Los extractos muy concentrados comunes utilizados para tratar depresiones pueden adquirirse en tiendas de alimentos naturistas o dietéticas. Procesado en polvo o en cápsulas, este extracto contiene una cantidad certificada de ingredientes activos.

Ingerir un gramo de extracto de hierba de San Juan en polvo por día.

BAÑOS DE VAPOR FACIALES

Colocar un puñado de hierba de San Juan seca en un recipiente. Verter aproximadamente dos litros de agua caliente sobre la hierba. Inclinarse sobre el recipiente y colocar una toalla de mano sobre la cabeza y por encima del recipiente. Inhalar el vapor durante diez minutos.

★ ***Importante:*** debido a que se trata de agua hirviendo, nunca debe dejarse a los niños solos mientras se hacen inhalaciones.

REMEDIOS HOMEOPÁTICOS

La hierba de San Juan también se utiliza en homeopatía para tratar heridas, nervios dañados, neuralgias y depresión.

CASOS EN LOS QUE PUEDE UTILIZARSE

Posee diversos usos medicinales. En primer lugar, permite tratar la depresión y los malestares caracterizados por ansiedad o nerviosismo.

PRINCIPALES APLICACIONES

MALESTARES	APLICACIONES SUGERIDAS
Gases abdominales en niños	Beber infusión.
Dolores de espalda	Compresas tibias con aceite.
Incontinencia urinaria nocturna en niños	Infusión; masajes con aceite en la zona del estómago y los muslos.
Herpe labial	Aplicar aceite.
Depresión	Beber infusión o ingerir algún suplemento.
Insomnio	Beber infusión o algún suplemento; vendas tibias en el estómago.
Falta de concentración, nerviosismo	Beber infusión o ingerir algún suplemento.
Dolores musculares	Masajear y aplicar compresas tibias con aceite.
Neuralgias	Beber infusión o ingerir algún suplemento; compresas tibias.
Herpes	Aplicar aceite, beber infusión o ingerir algún suplemento.
Quemaduras del sol, quemaduras leves	Aplicar aceite.
Heridas	Compresas, aplicar aceite.

TRASTORNOS PSICOLÓGICOS

La depresión, la fatiga persistente, la falta de motivación y concentración son síntomas comunes de depresión. En general, van acompañados de insomnio y cambios en el apetito y, con frecuencia, se producen durante el invierno cuando el cuerpo se expone a una luz menos natural ("desorden afectivo estacional"). Las caminatas al aire libre y el consumo de hierba de San Juan pueden apaciguar la depresión leve en la mayoría de los casos. Sus propiedades calmantes también contribuyen a aliviar la ansiedad leve y el estrés mental previo a los exámenes, que algunas veces puede provocar insomnio.

El tratamiento con hierba de San Juan requiere paciencia. A pesar de que puede percibirse alguna mejoría de inmediato, en general, los efectos pueden apreciarse recién a las tres semanas.

IMPORTANTE: Si la depresión persiste o empeora, o si existen signos de otro trastorno psicológico, es necesario consultar al médico. En algunos casos, puede resultar necesario un tratamiento con antidepresivos sintéticos. No se debe interrumpir jamás el uso de antidepresivos recetados sin consultar primero al médico.

RECETA

• ***Estado de ánimo depresivo:*** preparar una infusión o decocción tal como se explicó con anterioridad. Beber dos o tres tazas por día, en especial durante los meses de invierno. En caso de haber sufrido un "desorden afectivo estacional" en el pasado, sería una buena idea comenzar con el tratamiento en abril como medida preventiva.

• ***Depresión leve a moderada:*** si los síntomas de depresión que se describen anteriormente afectan su vida diaria, es conveniente utilizar extracto concentrado en polvo o en cápsulas, que puede adquirirse en tiendas de productos naturistas o dietéticas.

• ***Insomnio***: comprar hierbas sueltas en una tienda de productos naturistas y preparar la siguiente mezcla tradicional: 20 g de hierba de San Juan, 10 g de melisa, 10 g de lúpulo y 10 g de lavanda. Verter una taza de agua caliente sobre una cucharadita colmada de la mezcla de hierbas y beber una hora antes de ir a acostarse.

Temperamento alegre y optimista con la hierba de San Juan.

HERIDAS Y QUEMADURAS

En la medicina popular, la hierba de San Juan posee una larga y excelente reputación como remedio para sarpullidos, úlceras cutáneas, acné, pinchazos con objetos con o sin filo y quemaduras de sol. En especial, el aceite promueve la curación y cuenta con propiedades antibacterianas y analgésicas.

• ***Heridas:*** embeber varias capas de gasa con aceite rojo y aplicar sobre la herida. Repetir el tratamiento cada dos horas.

• ***Quemaduras de sol:*** en primer lugar, dejar que las quemaduras leves se enfríen. Para ello, humedecer una toalla de mano, escurrirla y aplicarla sobre la región afectada. Como alternativa, aplicar una capa de 1 cm de yogur consistente y natural (drenarlo si fuera necesario). Cuando la piel se encuentre lo suficientemente fría, retirar la toalla o el yogur. Aplicar el aceite de hierba de San Juan con cuidado sobre la región inflamada. Repetir tres veces al día o según sea necesario.

DOLORES MUSCULARES Y NEURALGIAS

RECETA

El aceite de hierba de San Juan alivia los dolores musculares producidos por músculos tensos o desgarrados o reumatismo. Diversos tipos de neuralgia, como por ejemplo, el dolor del nervio trigémino, la ciática y la lumbalgia también pueden tratarse con la hierba de San Juan.

• ***Moretones y músculos desgarrados***

Aplicar suavemente aceite de hierba de San Juan sobre la región afectada, varias veces por día, y si la situación no fuera demasiado delicada, masajear con cuidado.

INFECCIONES VIRALES

Además de actuar como analgésico y relajante muscular, la hierba de San Juan también parece tener propiedades antivirales. Por esta razón, se ha utilizado en gran medida en la medicina popular como tratamiento del herpes.

• ***Herpes:*** utilizar hierba de San Juan junto con el tratamiento médico convencional. Aplicar con cuidado aceite de hierba de San Juan sobre la región afectada. Una buena idea consiste en ponerse una camiseta vieja para proteger la ropa y evitar las manchas de aceite.

RECETA

• ***Herpes labial:*** al primer signo de ampollamiento, aplicar aceite o tintura de hierba de San Juan. Mantener humectada la región afectada. Esto evita el dolor.

USOS PEDIÁTRICOS

La hierba de San Juan es muy eficaz para aliviar dolores de estómago e incontinencia urinaria nocturna. El cuerpo la tolera muy bien y es muy segura para los niños.

• ***Gases abdominales y dolores de estómago no específicos***

Masajear la zona del estómago del bebé o niño con aceite de hierba de San Juan, con movimientos circulares en el sentido de las agujas del reloj. Este tratamiento puede ir precedido de un baño tibio.

• ***Incontinencia urinaria nocturna***

Esta situación es, con frecuencia, síntoma de un problema emocional. Darle de beber al niño una taza de té de hierba de San Juan temprano a la tarde. Endulzar con miel si se desea. Además, masajear la zona del bajo vientre y los muslos del niño con aceite antes de ir a acostarse. Esto ayuda a evitar la escoriación de la piel y aumenta la sensibilidad de los músculos de la pelvis que desempeñan un papel importante en el control de la vejiga.

MANZANILLA

UNA HIERBA SUAVE Y VERSÁTIL

La manzanilla es una de las hierbas más populares y versátiles. Ha sido de gran utilidad para cientos de personas durante su vida, desde la infancia hasta la vejez, como remedio para dolores, calambres y heridas. Esta tendencia ha continuado por cientos de años; en la Antigüedad, la manzanilla se utilizaba de forma muy parecida a como se la utiliza actualmente. En el antiguo Egipto, se la veneraba como la flor del dios bueno del Sol, Ra. Incluso, aparentemente, nuestros ancestros de la edad de piedra conocieron sus propiedades medicinales. La manzanilla es una de las hierbas más ampliamente estudiadas con la que contamos.

CÓMO RECONOCER LA MANZANILLA

La manzanilla (*Chamomilla recutita, Matricaria chamomilla*), una hierba resistente y sencilla, puede encontrarse en toda Europa, partes de América y Australia. Con frecuencia, se desarrolla en campos no sembrados, en terrenos baldíos y a la vera del camino. La manzanilla alemana, que es el único miembro de la familia utilizado con fines medicinales, crece hasta aproximadamente 45 cm de altura y presenta un tallo redondeado y ramificado de hojas muy delgadas y cortadas de color amarillo verdoso. Cada brote tiene una cabeza floral simple en el extremo que consta de un disco de forma cónica con innumerables flósculos tubulares rodeados por un anillo de pétalos alargados de color blanco. Su disco hueco y el perfume aromático característico distinguen a la variedad alemana de la falsa manzanilla y la romana (dulce). Esta última es la única variedad que contiene tantos aceites volátiles como la verdadera. Alcanza una altura aproximada de 20 a 30 cm y posee hermosas flores de color blanco y tallos atreciopelados. En general, no se desarrolla en forma silvestre.

La manzanilla florece entre noviembre y febrero.

CULTIVO Y COSECHA

La manzanilla es una planta resistente de fácil cuidado. Todo lo que requiere es un lugar soleado del jardín. La planta incluso promueve el crecimiento de otras que se encuentren a su alrededor y repele las plagas. También puede cultivarse en patios o terrazas. Las pequeñas semillas se plantan y es probable que sea necesario mezclarlas con arena para facilitar su manipulación y plantación en recipientes pequeños. Cuando los plantines tengan alrededor de 5 cm de altura, estarán preparados para ser transplantados en recipientes o macetas de mayor tamaño. Es necesario colocarlos con una separación de alrededor de 10 cm entre una y otra. La manzanilla necesita un lugar soleado, pero sin exponerse a la luz directa del sol. Los fertilizantes orgánicos resultan apropiados. El poder curativo de la hierba reside solamente en las flores. Las mismas deben recolectarse en días soleados, cuando los pétalos blancos hayan comenzado a caer. Secar las flores por completo en un lugar cálido, oscuro y con buena ventilación. Como tiende a atraer la humedad, se recomienda almacenar la hierba seca en recipientes con cierre hermético en lugares oscuros.

La manzanilla crece bien sin fertilizantes.

EL VERDADERO VALOR DE LA MANZANILLA

Es indiscutible el valor terapéutico para calambres, junto con su eficacia para tratar heridas de curación lenta, piel y membranas mucosas inflamadas. Dadas sus propiedades, esta hierba también se ha utilizado tradicionalmente para aliviar y calmar el dolor. La versatilidad de la manzanilla como remedio se debe al efecto combinado de diversos ingredientes activos. Los aceites volátiles son en gran parte los responsables del efecto antiinflamatorio de la hierba. Los flavonoides, presentes en grandes cantidades en las flores, también reducen la inflamación y alivian los calambres. Las flores de manzanilla son ricas en mucílago, que reduce la irritación de la mucosa que reviste el estómago y los intestinos.

EFECTOS COLATERALES NO DESEADOS

La manzanilla es muy saludable y teóricamente no produce efectos colaterales no deseados. De todas formas, no se recomienda beber infusión de manzanilla a diario durante años. No debe utilizarse en forma externa para tratar inflamaciones oculares.
Las reacciones alérgicas a la manzanilla no son comunes. Los casos registrados en el último tiempo se atribuyeron a la contaminación.

Los preparados que pueden adquirirse en comercios, en general, no poseen impurezas.

USO ADECUADO

INFUSIÓN

La infusión con agua caliente es una buena forma de obtener el mucílago de la hierba, algunos flavonoides y una pequeña porción de sus aceites volátiles.

Verter una taza de agua caliente sobre una cucharadita de manzanilla seca. Cubrir y dejar reposar durante cinco a diez minutos y luego filtrar. Beber lo más caliente posible y mientras se conserve bien fresca.

EXTRACTO

Para tratar síntomas más agudos, es preferible utilizar este preparado en lugar de la infusión. Los extractos contienen una cantidad importante de aceites volátiles, que se extraen de la planta con alcohol. Al igual que la infusión, los extractos pueden adquirirse en comercios de productos naturistas y dietéticas. Es conveniente elegir los preparados con cantidades estandarizadas de ingredientes químicos activos. La dosis recomendada varía de acuerdo con los diferentes productos.

RECETA

Disolver una pequeña cantidad de extracto de manzanilla en agua tibia. Beber la mezcla o bien utilizarla para gárgaras, inhalaciones o compresas. Para suministrar la dosis correcta, seguir las instrucciones de la etiqueta del envase.

INFUSIÓN FUERTE

Para realizar gárgaras, inhalaciones o aplicar vendas o compresas. Verter una taza de agua caliente sobre tres a cinco cucharaditas colmadas de flores de manzanilla. Dejar reposar durante cinco a diez minutos y luego filtrar.

BAÑOS

Colocar las flores de manzanilla (50 g por cada 10 litros de agua) dentro de una bolsa de lino. Colocarla por debajo de la canilla de la bañera para que el agua, al correr, libere los ingredientes activos de la hierba.

INHALACIONES

Las inhalaciones son útiles para resfríos.

Verter aproximadamente dos litros de agua caliente sobre un puñado de flores secas de manzanilla colocadas en un recipiente. Inclinarse sobre el recipiente y acomodar una toalla de mano sobre la cabeza y por encima del recipiente. Inhalar el vapor durante diez minutos.

ACEITE

El aceite de manzanilla se recomienda para uso externo y puede prepararse en forma casera.

Llenar una jarra de vidrio con tapa con flores frescas y trituradas. Agregar aceite de oliva, cerrar en forma hermética y almacenar durante tres a cuatro semanas en un lugar soleado. Filtrar el aceite a través de un paño fino. Si se desea, agregar unas gotas de aceite volátil de manzanilla de buena calidad, que puede adquirirse en tiendas de productos naturistas o dietéticas. Guardar el aceite en una botella con cierre hermético.

UNGÜENTOS

Los ungüentos con manzanilla para uso externo, que contienen ingredientes biológicamente activos de la hierba, pueden adquirirse en comercios.

REMEDIOS HOMEOPÁTICOS

El remedio homeopático "Chamomilla" se prepara con toda la planta. Se utiliza para tratar malestares relacionados con un sistema nervioso hipersensible, como la neuralgia (dolor agudo desde un nervio o grupo de nervios) y ciertos dolores de cabeza y de muelas, o para calambres abdominales.

CASOS EN LOS QUE PUEDE UTILIZARSE

La manzanilla es de gran ayuda para tratar diversos tipos de enfermedades cutáneas y hereditarias.

PRINCIPALES APLICACIONES

MALESTARES	APLICACIONES SUGERIDAS
Resfríos	Beber té, efectuar gárgaras, inhalaciones.
Piel seca	Masajear con aceite o ungüento.
Gastritis	Tratamiento "de rotación" con té de manzanilla.
Malestares gastrointestinales	Té de manzanilla, tratamiento con té junto con ayuno.
Gingivitis	Enjuagar con té fuerte de manzanilla
Inflamaciones, piel manchada	Baños de vapor faciales, compresas con aceite, baños localizados.
Dentición	Remedio homeopático Chamomilla.
Heridas	Compresas con té fuerte de manzanilla.

MALESTARES GASTROINTESTINALES

La manzanilla proporciona un alivio rápido para diversos trastornos gastrointestinales como náuseas, inflamaciones de la mucosa que reviste el estómago (gastritis) y gases abdominales. Las personas con frecuencia consumen antiácidos para aliviar indigestiones nerviosas. Como esta condición es consecuencia, en general, del estrés emocional y la ansiedad, un remedio moderado y calmante como la manzanilla es un tratamiento mucho más apropiado.

★ ***Importante:*** si los síntomas continúan o si hay sangre presente en deposiciones o vómitos, es necesario consultar al médico ya que es posible que existan úlceras estomacales o del duodeno. Asesorado por el médico, podrá utilizarse té de manzanilla junto con el tratamiento médico convencional.

RECETA

Para todas las afecciones gastrointestinales, beber tres o cuatro tazas de té tibio de manzanilla con el estómago vacío. En casos agudos, ayunar durante tres días y beber: té de manzanilla o de menta, permanecer en cama y aplicar vendas o compresas húmedas y tibias en la zona del abdomen (ver página 160) para lograr resultados eficaces. Luego del ayuno, comenzar lentamente a ingerir sopas reducidas en grasas y sal, preparadas con arroz, harina o mijo.

La infusión de manzanilla con miel es un remedio eficaz para los resfríos.

• ***Inflamación de la mucosa que reviste el estómago (gastritis)***

Utilizar un procedimiento denominado "tratamiento de rotación": beber de a sorbos dos tazas de té tibio de manzanilla. Recostarse boca arriba y relajarse. Transcurridos cinco minutos, girar hacia la izquierda, luego apoyarse sobre el estómago y finalmente rotar hacia la derecha. Descansar durante cinco minutos en cada posición. Efectuar este procedimiento por la mañana y por la noche.

RESFRÍOS

La manzanilla alivia dolores de garganta y fatiga general, principalmente con los primeros síntomas de resfrío. También es un remedio eficaz para la congestión nasal y evita que las infecciones se expandan a los senos nasales y bronquios.

• ***Dolor de garganta***

RECETA

Preparar un té fuerte con tres cucharaditas de flores de manzanilla por taza de agua caliente. Utilizar el agua lo más caliente que pueda tolerarse y hacer gárgaras al menos tres veces al día o con mayor frecuencia, si es necesario. Beber tres tazas de té tibio endulzado con miel en forma diaria.

• ***Resfríos, sinusitis o infecciones de la garganta***

Los baños de vapor faciales tradicionales con manzanilla son excelentes. El té de manzanilla con miel es un remedio eficaz para los resfríos.

INFECCIONES ORALES

La gingivitis y otras infecciones orales pueden tratarse mediante enjuagues bucales con manzanilla.

Preparar té fuerte con tres cucharaditas de manzanilla por taza de agua. En casos agudos, conservar el té durante un minuto en la boca y hacer buches al menos tres veces al día, o con mayor frecuencia, de ser necesario.

ENFERMEDADES CUTÁNEAS

La manzanilla es un remedio muy eficaz para heridas de curación lenta, várices y úlceras por decúbito. Limpia y humecta la piel seca y sensible.

• ***Heridas de curación lenta***

Las compresas con té fuerte son, en general, muy eficaces.

• ***Piel seca y áspera***

Luego de tomar un baño o una ducha, aplicar en forma periódica ungüento sobre la piel reseca. Masajear todo el cuerpo con aceite de manzanilla casero. Para el cuidado del rostro, humedecer primero las manos con agua tibia. Verter una pequeña cantidad del aceite sobre las palmas y aplicarlo sobre la cara. Dejará la piel suave y tersa.

• ***Piel sensible y manchada***

Para un tratamiento de todo el cuerpo, tomar un baño con manzanilla. Para inflamaciones locales confinadas a zonas pequeñas del cuerpo, aplicar compresas con aceite (ver página 162). Los baños localizados (ver páginas 164-165) se recomiendan para tratar inflamaciones de la piel en las zonas genitales. Los baños de vapor dos o tres veces a la semana reportan grandes beneficios como tratamiento facial. Seguir las instrucciones para inhalaciones.

NIÑOS ENFERMOS

Gracias a su sabor agradable y a que es fácil de digerir, la manzanilla es un remedio ideal para diversos malestares en niños pequeños e infantes.

• ***Dolores estomacales, gases abdominales y diarrea***

Se recomienda que los niños beban té tibio de a sorbos pequeños. Las vendas o compresas tibias en la zona del abdomen proporcionan un alivio adicional.

• ***Resfríos y demás enfermedades infecciosas***

Disolver una cucharadita de miel por taza de té. No utilizar miel para niños menores de un año. Suministrar como tónico general.

• ***Dentición, cólicos***

Administrar el remedio homeopático. Colocar cinco a diez comprimidos de Chamomilla sobre la lengua tres a cinco veces al día y dejar que se disuelvan.

LAVANDA

RELAJACIÓN PARA EL CUERPO Y EL ALMA

Las propiedades curativas de la lavanda fueron mencionadas por primera vez por Santa Hildegarda en el siglo XII, quien hizo referencia a la hierba como "planta de la Virgen María", utilizada como remedio que "disipa los pensamientos y deseos impuros". La lavanda poseía otros usos en ese momento: tratamiento para mareos, ataques cardíacos, calambres, temblores, infecciones orales y edemas. También se creía que actuaba como tónico para el cerebro cuando se utilizaba en la cabeza. Finalmente, se demostraron los efectos beneficiosos sobre el sistema nervioso. Actualmente, la lavanda se utiliza como infusión o para inhalaciones de los aceites volátiles. El aroma de la lavanda repele las polillas. Por eso, la hierba se utiliza con frecuencia en armarios.

CARACTERÍSTICAS DE LA VERDADERA LAVANDA

La lavanda (*Lavandula angustifolia*) es una planta arbustiva originaria de la región occidental del Mediterráneo. Alcanza una altura aproximada de 45 cm y presenta un rizoma leñoso. Las hojas alargadas y delgadas de la planta de lavanda son aterciopeladas y de color verde grisáceo. Las flores de color violeta aparecen entre enero y marzo y despiden el perfume a lavanda característico.

Campo de lavanda en Provenza (sur de Francia).

CULTIVO Y COSECHA

La lavanda es una planta ornamental popular que con frecuencia es empleada en paisajismo. También se cultiva en forma comercial y se procesa para preparar perfumes y aceites. Extensos campos de lavanda son comunes en Francia, España y este de Europa. El arbusto siempreverde prefiere lugares muy soleados y suelos ricos en cal. En general, se propaga mediante esquejes, pero también puede reproducirse por semillas. Se recomienda sembrar las semillas en primavera y podar los plantines para permitir una separación de aproximadamente 30 cm entre una planta y otra. También puede cultivarse en macetas en terrazas o balcones. La hierba se cosecha cuando las flores comienzan a abrir. Cortar los tallos con las espigas florecidas, sujetarlos en ramos y colgarlos para que sequen. Las cabezas secas para fines medicinales son retiradas de los tallos y almacenadas en frascos de vidrio oscuro, cerrados en forma hermética, para proteger la hierba de la luz y la humedad.

Plantada junto a hortalizas, la lavanda actúa como pesticida natural.

LA EFICACIA DE LA LAVANDA

Los principales ingredientes activos son los aceites volátiles. La hierba contiene además taninos, amargos y resinas. Calma los nervios y es un remedio confiable de acción rápida para el agotamiento, el nerviosismo y el insomnio. Resulta útil para tratar la indigestión nerviosa, los gases abdominales y la pérdida del apetito, ya que los problemas gastrointestinales son causados con frecuencia por el nerviosismo y el estrés. La lavanda aumenta el apetito al estimular la producción de bilis. Los baños se recetan usualmente para tratar problemas circulatorios o heridas.

Tónico y remedio eficaz para la indigestión nerviosa.

USO ADECUADO

La lavanda puede ingerirse en forma de infusión, o bien inhalar sus aceites volátiles. También se la emplea en combinación con otras hierbas que complementan o mejoran sus efectos medicinales.

INFUSIÓN

Verter 250 cm^3 de agua caliente sobre dos cucharaditas de flores de lavanda. Dejar reposar durante cinco a diez minutos, y luego filtrar.

INFUSIÓN FUERTE

Es un aditivo popular para baños.
Verter agua caliente sobre 50-80 gramos de flores de lavanda.

HIERBAS EN BOLSITAS

Mezclar partes iguales de flores de lavanda y lúpulo, y colocar las hierbas dentro de una bolsa de lino.

ACEITES ESENCIALES

Estos preparados contienen aceites volátiles que han sido extraídos por destilación al vapor. Los aceites esenciales pueden aplicarse en forma externa con un vaporizador, ingerirse o agregarse a aceites para masajes. Ingerir de una a cuatro gotas de aceite de lavanda sobre un terrón de azúcar.

CASOS EN LOS QUE PUEDE UTILIZARSE

La lavanda calma los nervios y es empleada para tratar diversos malestares provocados por estrés y esfuerzos violentos.

PRINCIPALES APLICACIONES

MALESTARES	APLICACIONES SUGERIDAS
Mala circulación, presión arterial baja	Tomar un baño de lavanda.
Malestares digestivos	Beber té de lavanda.
Insomnio	Baños de lavanda; beber té, bolsitas de hierbas.
Problemas intestinales por nerviosismo	Beber té de lavanda.
Agotamiento nervioso	Tomar un baño de lavanda, beber té.
Indigestión nerviosa	Beber té de lavanda.
Intranquilidad, nerviosismo	Tomar un baño de lavanda, beber té.

AGOTAMIENTO NERVIOSO E INQUIETUD

Al final de un día agotador, es conveniente agasajarse con una noche relajante. Apagar el televisor, desconectar el teléfono y tomar un baño refrescante y suavizante de lavanda.

Agregar infusión fuerte preparada con flores de lavanda al agua de la bañera. Beber dos tazas de infusión de lavanda endulzada con una cucharadita de miel. En caso de sentirse acalorado, aplicar vendas frías en la nuca.

La lavanda calma los nervios y proporciona un sueño reparador.

INSOMNIO

La lavanda a la hora de dormir ayuda a conciliar el sueño con mayor rapidez y promueve un descanso más prolongado y profundo.

Tomar un baño de lavanda a la noche o beber dos tazas de té de lavanda endulzado con miel una o dos horas antes de ir a la cama. Además, puede colocarse una bolsita de lino llena de flores de lavanda y lúpulo cerca de la almohada.

PROBLEMAS DIGESTIVOS

Las flores de lavanda ejercen un efecto doble sobre el aparato digestivo. Calman un estómago e intestino nerviosos e irritados, y actúan como digestivo al estimular la producción de bilis.

En caso de malestares gastrointestinales provocados por nerviosismo y demás trastornos digestivos, beber tres tazas de té de lavanda por día.

PROBLEMAS CIRCULATORIOS

En caso de sufrir de presión arterial baja o padecer frecuentes mareos debido a problemas circulatorios, es conveniente aprovechar las ventajas de sus propiedades reguladoras. Los baños de lavanda son en especial beneficiosos.

Para síntomas agudos, tomar un baño de lavanda con agua tibia. Se recomienda agregar unas gotas de aceite de lavanda en el agua, o ingerir el aceite. Los lavados o afusiones con agua fría (ver página 162) matutinos también son aconsejables.

MUÉRDAGO

ANTIGUO REMEDIO PARA EL CÁNCER

Esta hierba se encuentra rodeada de una gran cantidad de mitos y leyendas. Se la asoció con los ritos religiosos de los antiguos druidas celtas y en un momento se creyó que promovía la fertilidad y servía como protección contra los venenos. El uso del muérdago como planta medicinal data del siglo V a. C. Santa Hildegarda de Bingen recomendó el uso del muérdago cultivado sobre perales como tratamiento para el asma, y en el siglo XVI se lo clasificó como un remedio para la epilepsia. Sebastián Kneipp administraba muérdago para "contener la circulación sanguínea y tratar desórdenes del sistema circulatorio".

La medicina popular ha utilizado el muérdago durante largo tiempo como remedio contra el cáncer. En 1916, Rudolf Steiner, fundador del movimiento antrofilosófico, desarrolló una terapia para el cáncer que utilizaba extractos de muérdago. La medicina convencional considera que el uso de esta hierba como tratamiento para tumores malignos aún es discutible.

Muérdago con frutos sobre un manzano.

CÓMO RECONOCER EL MUÉRDAGO

El muérdago (*Viscum album*) puede encontrarse en el sur y en el centro de Europa así como también en algunas partes de Asia. No debe confundirse con el muérdago americano, una especie de planta completamente diferente de propiedades medicinales exactamente opuestas. El muérdago es un arbusto semiparasitario que obtiene del árbol huésped, la mayor parte de los minerales y agua necesarios para el crecimiento. Se ramifica libremente y forma grupos o esferas enmarañadas de hasta 90 cm de diámetro. La planta puede vivir hasta alrededor de los setenta años. Las espigas de muérdago son de color verde oliva y presentan hojas rugosas. Las pequeñas flores de color amarillo pálido aparecen entre septiembre y octubre, en las horquetas de las varas. Los frutos del tamaño de una arveja, similares a bayas, no maduran hasta junio.

CULTIVO Y COSECHA

En Europa, un manzano o peral cultivado en el jardín puede servir como huésped para una planta de muérdago. Las bayas de la espiga de muérdago pueden colocarse dentro de las grietas de la corteza del árbol. Si las condiciones son adecuadas, una semilla echará raíces y se convertirá en planta.

El muérdago silvestre puede encontrarse alto en las copas de los árboles, y su aspecto de "nido" con forma de esfera es fácil de distinguir cuando el árbol se encuentra desprovisto de follaje.
Las partes de la planta utilizadas con fines medicinales son los brotes, incluyendo las hojas (pero no los frutos). Se cosechan ya sea entre septiembre y octubre, o entre marzo y abril para luego secarlas y trozarlas.

Es posible plantar un muérdago propio sobre un manzano.

EL VERDADERO VALOR DEL MUÉRDAGO

De acuerdo con investigaciones en Alemania, el muérdago evita el desarrollo de tumores y estimula el sistema inmunológico. Estos efectos se deben principalmente a unos compuestos químicos llamados lectinas. La hierba contiene, además, ciertas proteínas (viscotoxinas), flavonoides, resinas y mucílago. En combinación, estos ingredientes activos reducen levemente la presión arterial, aumentan la función cardíaca, dilatan los vasos sanguíneos al relajar su musculatura fina y ejercen un efecto calmante sobre el sistema nervioso. Las inyecciones de preparados de muérdago parecen detener la progresión de osteoartritis, aliviar los síntomas de la tos convulsa y el asma, y reducir los mareos. Los preparados también se han utilizado tradicionalmente para tratar malestares femeninas, tales como la escasez de flujo menstrual y los accesos repentinos de calor, y como medio para prevenir la arteriosclerosis. La hierba también se utiliza como tónico para el corazón durante la recuperación de una enfermedad grave.

Un remedio herbal versátil.

EFECTOS COLATERALES NO DESEADOS

En ocasiones aparecen reacciones alérgicas. Las inyecciones pueden causar irritación local de la piel. El aumento leve de la temperatura corporal que, en general, provoca el muérdago, se considera beneficioso.

USO ADECUADO

Además de los preparados que se mencionan en este capítulo, existe una gran cantidad de productos que combinan muérdago con otras hierbas. Estas mezclas se utilizan principalmente para reducir la presión arterial elevada o para tratar diversas afecciones asociadas, en general, con la vejez.

INYECCIONES

En Alemania, el extracto de muérdago obtenido mediante varios métodos, se inyecta con frecuencia en forma intravenosa para tratar tumores. Se utiliza además como terapia para la osteoartritis. Esto requiere una inyección subcutánea.

INFUSIÓN

Los tallos y hojas de muérdago necesitan de cocción para extraer sus ingredientes activos. Verter una taza de agua fría sobre dos cucharaditas de hierbas secas cortadas en trozos pequeños. Dejar reposar a temperatura ambiente entre diez y doce horas, y luego filtrar.

TINTURAS

Uno mismo puede preparar tintura de muérdago.

Colocar hojas frescas de muérdago en una jarra de vidrio oscuro con tapa. Agregar cualquier licor destilado o alcohol al 70% hasta el tope. Dejar reposar la mezcla durante tres semanas; agitar bien una vez al día. Retirar las hojas. Filtrar el líquido con la ayuda de un lienzo fino y verter el contenido en botellas pequeñas. Ingerir 20 gotas de la tintura tres veces al día. Esto equivale a dos tazas de té.

SUPLEMENTOS Y REMEDIOS HOMEOPÁTICOS

Estos preparados pueden adquirirse en tiendas de productos naturistas y herboristerías.

Un remedio homeopático para personas mayores.

El remedio homeopático "Viscum album" contiene muérdago y se receta con frecuencia a pacientes de edad avanzada como tónico o tratamiento para circulación escasa de la sangre en brazos y piernas.

CASOS EN LOS QUE PUEDE UTILIZARSE

El muérdago es un remedio eficaz para evitar y tratar trastornos crónicos del sistema cardiovascular y de las articulaciones. También pueden ingerirse suplementos (para suministrar una dosis adecuada, seguir las instrucciones de la etiqueta del producto).

PRINCIPALES APLICACIONES

MALESTARES	APLICACIONES SUGERIDAS
Arteriosclerosis	Tratamiento con infusión de muérdago.
Problemas cardiovasculares	Tratamiento con infusión de muérdago.
Tumores malignos	Tratamiento con inyecciones (no aceptado en los EE. UU.).
Osteoartritis	Infusión; inyecciones (no aceptado en los EE. UU.).

TUMORES

Los estudios llevados a cabo en Alemania han demostrado que el extracto de muérdago puede inhibir el crecimiento de tumores. Como beneficio adicional, el tratamiento con muérdago con frecuencia mejora en forma considerable la sensación de bienestar general del paciente. Esto puede ser consecuencia de las propiedades de disminución de la ansiedad de la hierba. Es necesario destacar que mientras las terapias que utilizan extractos, administradas únicamente por un médico, parecen prometedoras, beber té de muérdago no es un tratamiento eficaz para tumores.

OSTEOARTRITIS

La "terapia de segmento" es una forma de anestesia terapéutica por medio de la cual el extracto de muérdago se inyecta en forma subcutánea. Con frecuencia, detiene la degeneración progresiva de las articulaciones asociada con la osteoartritis. Se recomienda efectuar tratamientos periódicos con infusión de muérdago en combinación con inyecciones.

Preparar la infusión con un litro de agua fría y cuatro cucharaditas de hojas secas. Es mejor prepararla por la noche, dejarla reposar hasta el día siguiente y beber una taza por la mañana y otra por la noche. Continuar con este procedimiento a diario durante aproximadamente cuatro semanas.

El tratamiento con muérdago ayuda a prevenir la arteriosclerosis.

ENFERMEDADES CARDIOVASCULARES

Es aconsejable que aquellos que tienen presión arterial elevada (hipertensión límite) o astenia neurocirculatoria leve utilicen infusión o tinturas de muérdago. También se utiliza con frecuencia para prevenir y tratar arteriosclerosis.

• ***Presión arterial elevada***

Beber una o dos tazas por día durante aproximadamente dos meses. Controlarse la presión arterial en forma periódica en el consultorio del médico.

• ***Astenia neurocirculatoria leve***

Luego de haber visitado al médico, beber dos o tres tazas durante aproximadamente cuatro semanas. Si los síntomas continúan o empeoran, consultar de inmediato al médico.

• ***Arteriosclerosis***

Beber una o dos tazas a diario durante cuatro semanas. Repetir el tratamiento al menos dos veces por año.

AGNOCASTO

HIERBA MEDITERRÁNEA DE USO FEMENINO

La función del agnocasto como remedio a través de la historia puede obtenerse de su nombre común y del latín. *Agnus castus* significa "cordero casto". Ambos nombres indican que se creía que la hierba reprimía el deseo sexual. Esta noción era desacertada y se basó en un error de traducción. Sin embargo, los monjes utilizaban los frutos picantes y aromáticos de la planta para conservar su deseo sexual bajo control. También es conocido como sauzgatillo. En las regiones del sur de Europa, los frutos de la planta también se utilizaron como reemplazo de la pimienta. Con sus varas flexibles se fabricaban canastos; de allí, su nombre "Vitex", que deriva del latín, "trenzado de canastos".
En la actualidad, el agnocasto se utiliza principalmente como remedio para síntomas asociados con el ciclo menstrual femenino.

El agnocasto florece en enero y febrero.

CARACTERÍSTICAS DEL AGNOCASTO

El sauzgatillo agnocasto (*Vitex agnus castus*) crece en general a orillas de los ríos y en la costa de Asia central y del Mediterráneo. Alcanza una altura aproximada de 3,50 m y presenta hojas lanceoladas y compuestas. Son de color verde oscuro en el anverso, y blancas y aterciopeladas en el reverso. Los arbustos florecen desde enero hasta febrero y dan flores de color violeta pálido, rosa o blanco. Los frutos utilizados con fines medicinales poseen un tamaño considerable. Se trata de bayas de color rojo oscuro de alrededor de 2,50 cm de diámetro. Tienen un sabor picante, similar al de la pimienta.

CULTIVO Y COSECHA

El agnocasto se cultiva en zonas de clima moderado como planta ornamental. El arbusto caducifolio pueden plantarse ya sea en macetas o en el jardín. Prefiere lugares soleados y suelos húmedos. Los frutos maduros se cosechan en marzo o abril. Luego, son secados y procesados para crear varios preparados de uso medicinal.

LA EFICACIA DEL AGNOCASTO

Los principales ingredientes activos presentes en las bayas son aceites volátiles y grasos, flavonoides, glicósidos iridoides y amargos. Estos compuestos actúan en forma conjunta para evitar la producción de la hormona prolactina por parte de la glándula pituitaria. El organismo femenino produce naturalmente una mayor cantidad de prolactina durante la lactancia, lo que trae aparejada la infertilidad y cesación de los períodos (en forma temporaria); una condición sabia de la naturaleza durante esa etapa de la vida de una mujer. Sin embargo, los niveles elevados de prolactina también son provocados por el estrés y pueden ocasionar ciclos menstruales irregulares, síndrome premenstrual, disminución de la libido e incluso infertilidad.

Una cantidad excesiva de prolactina puede ocasionar períodos irregulares e infertilidad.

EFECTOS COLATERALES NO DESEADOS

El agnocasto no debe utilizarse durante el embarazo ni en período de amamantamiento. En caso de consumir drogas neurolépticas recetadas (tranquilizantes potentes), es conveniente consultar con el médico antes de ingerir preparados; es posible que existan algunas interacciones de las drogas. Ha habido pocos casos de dermatitis eccematosa asociada con la ingesta de esta hierba.

El consumo de esta hierba no se recomienda durante el embarazo ni en período de amamantamiento.

USO ADECUADO

Los preparados no pueden hacerse en forma casera; es necesario adquirirlos en tiendas de productos naturistas o dietéticas. La dosis depende de la cantidad de ingredientes activos de cada producto en particular. En necesario leer y seguir las instrucciones de la etiqueta del envase.

EXTRACTOS A BASE DE ALCOHOL

Los extractos que pueden adquirirse en comercios contienen los ingredientes activos solos o combinados con adicionales derivados de otras plantas.

CÁPSULAS

Las cápsulas tienen la ventaja de no contener alcohol.

REMEDIOS HOMEOPÁTICOS

Estos preparados se utilizan para tratar impotencia masculina o para detener la producción de leche materna. En general, son mezclas de medicamentos que contienen otros remedios homeopáticos además del agnocasto.

CASOS EN LOS QUE PUEDE UTILIZARSE

★ ***Importante:*** en caso de experimentar cualquiera de los síntomas que se describen en este capítulo, es necesario consultar al ginecólogo.

PRINCIPALES APLICACIONES

MALESTARES	APLICACIONES SUGERIDAS
Ciclo menstrual irregular	Ingerir extracto o cápsulas.
Síndrome premenstrual	Ingerir extracto o cápsulas.

SÍNDROME PREMENSTRUAL

El agnocasto es un remedio eficaz para tratar los síntomas que una gran cantidad de mujeres experimenta antes del comienzo del período menstrual (síndrome premenstrual). Estos síntomas incluyen hinchazón, sensibilidad en los senos, dolores de cabeza, vaivenes emocionales, constipación y retención de líquidos en los tejidos. Aproximadamente el 50% de las mujeres sufre de síndrome premenstrual en algún momento de su vida.

RECETA

Ingerir cápsulas o extracto de agnocasto durante al menos cuatro meses hasta que los síntomas hayan disminuido. Para suministrar la dosis adecuada, es necesario seguir las instrucciones de la etiqueta del envase.

CICLO MENSTRUAL IRREGULAR

Gracias a su acción moderada sobre el sistema hormonal, el agnocasto es un remedio eficaz para regular el ciclo menstrual femenino. En caso de períodos irregulares, es necesario consultar al ginecólogo antes de ingerirlo.

RECETA

Con la aprobación del médico, ingerir cápsulas o extracto durante un período de varias semanas, hasta que el ciclo vuelva a ser normal. Para suministrar la dosis adecuada, es necesario seguir las instrucciones de la etiqueta del envase.

ONAGRA

UNA HIERBA MEDICINAL Y CULINARIA

La onagra es originaria de América del Norte. Los nativos la emplearon como remedio total y utilizaron las diversas especies de la planta para tratar infecciones, trastornos femeninos, obesidad, mordeduras de serpientes e incluso, pereza. A principios del siglo XVII, la hierba llegó finalmente a Europa, donde se expandió a través del continente. Los granjeros pronto descubrieron su valor como hierba nutritiva: sus raíces rojizas son largas y carnosas. Recientemente, los estudios científicos han demostrado las propiedades curativas del aceite de hierba de asno sobre la piel y su acción reguladora de los niveles elevados de lípidos en sangre.

Las flores de la onagra se abren por la noche y se cierran durante el día.

CÓMO RECONOCER LA ONAGRA

La onagra (*Oenothera biennis*) se cultiva con frecuencia en jardines, pero también prospera en estado silvestre en tierras no sembradas, a la vera de los caminos y en los márgenes de los ríos. Durante el primer año, esta planta bienal produce solo rosetas basales de hojas poco notorias. Durante el segundo año, desarrolla una vara de hasta 90 cm de altura con una larga espiga de flores amarillas en el extremo. La planta es polinizada durante la noche por polillas. La onagra florece entre diciembre y abril. Sus frutos contienen semillas con un valioso aceite de propiedades medicinales.

CULTIVO Y COSECHA DE LA HIERBA DEL ASNO

La onagra prospera en lugares soleados y suelos arenosos. Las semillas maduras pueden prensarse en frío para conservar la mayoría de sus ingredientes activos, o puede extraerse el aceite mediante un proceso específico con dióxido de carbono. Con frecuencia, se agrega vitamina E para aumentar la duración del aceite. Las raíces de la planta se extraen en primavera o en otoño.

SU VERDADERO VALOR

La onagra contiene taninos, flavonoides y mucílago en tallos y hojas. La gran cantidad de taninos es la principal responsable del efecto curativo de la hierba sobre las heridas y de la capacidad de aliviar malestares gastrointestinales e infecciones urinarias. Sin embargo, el ingrediente

El aceite de onagra tiene un color dorado y sabor a nuez.

activo de mayor importancia se encuentra en el aceite de las semillas. Este aceite es muy rico en los valiosos ácidos gamalinoleicos, ácidos grasos no saturados necesarios para una piel hermosa, bien nutrida, sana, suave y tersa. El aceite de onagra se utiliza para el cuidado de la piel y para evitar signos de envejecimiento prematuro.

El aceite también tiene usos medicinales. Se utiliza principalmente como tratamiento para la neurodermatitis y puede reducir en gran medida los síntomas asociados con enfermedades cutáneas. El aceite de onagra también resulta eficaz para aliviar el síndrome premenstrual y reducir los niveles de colesterol en sangre.

Los niños menores de un año no deben ingerir aceite de onagra.

EFECTOS COLATERALES NO DESEADOS

Los casos de náuseas, problemas digestivos y dolores de cabeza son aislados. Los problemas gastrointestinales pueden evitarse mediante el consumo de cápsulas después de las comidas. Con la aprobación del médico, el aceite puede ingerirse durante el embarazo (luego de los primeros tres meses) y en el período de lactancia.

USO ADECUADO

Todos los principales preparados contienen aceite de las semillas de la planta. Deben ser preparados por profesionales y no en forma casera.

PERLAS DE ACEITE, CREMAS

El aceite puede adquirirse en forma de perlas de 500 miligramos. En caso de preferir evitar tragar las perlas de aceite, las puede romper, extraerles el aceite y beberlo con algún líquido. En general, se necesita un uso periódico de al menos ocho semanas para notar mejoras. Después, es posible reducir la dosis. Se encuentran también a la venta cremas para la piel que contienen aceite de onagra.

CASOS EN LOS QUE PUEDE UTILIZARSE

El aceite de onagra se utiliza principalmente para el cuidado de la piel. Es muy eficaz para aliviar síntomas de neurodermatitis.

PRINCIPALES APLICACIONES

MALESTARES	APLICACIONES SUGERIDAS
Piel seca	Ingerir perlas de aceite; masajear con aceite diluido.
Niveles de colesterol elevado	Ingerir perlas de aceite.
Neurodermatitis	Ingerir perlas de aceite; masajes enérgicos con aceite.
Síndrome premenstrual	Ingerir perlas de aceite.

NEURODERMATITIS, PIEL SECA

Luego de unas semanas de tratamiento con aceite de onagra, la piel de aquellos pacientes que sufren neurodermatitis se siente con frecuencia menos seca y escamada, y se reducen la picazón y la irritación. El uso externo o interno del aceite constituye un remedio eficaz para pieles secas en exceso.

Los adultos que sufren de neurodermatitis deben ingerir de cuatro a seis perlas de aceite dos veces al día; los niños mayores de un año deben ingerir de dos a cuatro perlas por día después de las comidas. La dosis puede reducirse según sea necesario cuando los síntomas mejoran. Para pieles secas, ingerir de cuatro a seis perlas dos veces al día después de las comidas durante ocho semanas en los meses de invierno.

SÍNDROME PREMENSTRUAL

En caso de sufrir en forma periódica dolores de espalda, sensibilidad en los senos, dolores de cabeza, irritabilidad o depresión antes del comienzo del período menstrual, utilizar aceite durante la segunda mitad del ciclo menstrual.

Ingerir perlas de aceite durante varios meses. Si los síntomas son agudos, aumentar la dosis a seis dos veces al día. Una vez que los síntomas hayan mejorado, es posible reducir la dosis.

NIVELES ELEVADOS DE COLESTEROL

El aceite de onagra puede ayudar a regular los niveles de colesterol ya que reduce el LDL (colesterol maligno) y aumenta el HDL (colesterol benigno). En caso de niveles muy elevados, es necesario consultar al médico si puede seguirse un tratamiento con aceite de onagra.

Ingerir de cuatro a seis perlas de aceite de onagra dos veces al día.

CALÉNDULA

UNA HIERBA PARA TRATAR HERIDAS

La caléndula, mencionada por primera vez por Santa Hildegarda de Bingen en el siglo XII como remedio para problemas digestivos, eccemas y mordeduras de animales, comenzó a utilizarse como tratamiento contra el cáncer en el siglo XIX. Actualmente, la planta se utiliza principalmente para promover la curación de heridas.

CÓMO RECONOCER LA CALÉNDULA

La caléndula (*Calendula oficinalis*) es una planta anual que crece hasta una altura aproximada de 60 cm. La planta completa, con excepción de las flores, se encuentra cubierta por delgados filamentos. Los tallos abultados, ramificados en la región superior, presentan hojas oblongas. La planta produce hermosas flores de color anaranjado que florecen de diciembre a mayo. La caléndula, cuyo origen es el sudeste de Europa, se cultiva actualmente en todo el mundo.

CULTIVO Y COSECHA

La caléndula se desarrolla en casi todos los tipos de suelo, pero le resultan óptimos los lugares soleados. Las semillas se siembran directamente en tierra en el mes de septiembre. Los plantines en crecimiento deben podarse a aproximadamente 30 cm entre cada planta. Por lo general, se autopropagan. Las flores levemente resinosas se recolectan con clima soleado y seco tan pronto como se hayan abierto. Retirar con cuidado los pétalos, uno por uno, y secarlos en un lugar oscuro y con buena ventilación.

Las caléndulas se propagan con gran rapidez y crecen en abundancia.

LA EFICACIA DE LA CALÉNDULA

Los principales ingredientes activos de la planta son los aceites volátiles, los flavonoides, los amargos y las saponinas. Promueven el desarrollo de nuevos tejidos y son responsables de las propiedades antiinflamatorias, antibióticas y curativas de la hierba. La caléndula es un remedio eficaz para tratar heridas infectadas o de curación lenta, piel o membranas mucosas dañadas, quemaduras provocadas por fuego y por congelamiento. El ungüento también se utiliza en el cuidado de la piel para proteger y humectar pieles sensibles, estresadas o envejecidas.

La caléndula promueve la curación de heridas.

USO ADECUADO

No está comprobado clínicamente que el uso interno de la infusión de caléndula reporte algún beneficio para la salud, pero los flores de color amarillo anaranjado se agregan con frecuencia a las mezclas para tés.

UNGÜENTO

La aplicación más común y conocida es en forma de ungüento. Puede aplicarse en forma directa sobre la piel afectada o bien utilizarse junto con vendas o compresas aplicadas sobre la región afectada. Una gran cantidad de preparados, tales como la equinácea, utilizan caléndula combinada con vitaminas y otras hierbas.

INFUSIONES FUERTES

Pueden utilizarse infusiones fuertes de caléndula para gárgaras o enjuagues. También para vendas o compresas embebiendo un lienzo o toalla. Verter una taza de agua caliente sobre una o dos cucharaditas de flores secas de caléndula. Dejar reposar durante diez minutos y filtrar.

CASOS EN LOS QUE PUEDE UTILIZARSE

Los cortes profundos, laceraciones no cicatrizadas o pinchazos con objetos extraños de tamaño considerable deben recibir el tratamiento de un médico. Los furúnculos en el rostro, la cabeza o el cuello deben recibir atención médica.

PRINCIPALES APLICACIONES

MALESTARES	APLICACIONES SUGERIDAS
Acné	Compresas faciales tibias con infusión.
Úlceras por decúbito	Masajear con ungüento de caléndula.
Furúnculos	Aplicar ungüento; aplicar compresas tibias.
Eccemas	Compresas tibias; masajear con ungüento.
Heridas infectadas	Aplicar ungüento; aplicar vendas o compresas tibias.
Inflamación bucal o de la garganta	Efectuar gárgaras o enjuagar con infusión.
Laceraciones o contusiones	Vendas tibias; compresas con infusión o ungüento.
Heridas de curación lenta	Vendas tibias; compresas con infusión o ungüento.
Quemaduras del sol; quemaduras leves	Compresas tibias con té fuerte.
Úlceras	Vendas tibias; compresas con infusión o ungüento.

LA PIEL Y LAS MEMBRANAS MUCOSAS

Con las heridas no cicatrizadas siempre es necesario asegurarse de haber recibido la vacuna antitetánica.

Las vendas o compresas humedecidas con infusión fuerte de caléndula son excelentes para tratar heridas y diversas inflamaciones, tales como las de las piernas. Siempre es necesario asegurarse de que el algodón o la gasa aplicada sobre la herida ya infectada, o con riesgo de infección, se encuentre limpia y libre de gérmenes. Al limpiar la herida, debe tenerse cuidado con las costras formadas recientemente. Dejar que sanen y se desprendan naturalmente para evitar cicatrices.

• *Heridas infectadas, furúnculos*

Aplicar ungüento sobre la región afectada varias veces por día y cubrir la herida con un vendaje, de ser necesario. Es posible aplicar también una venda o compresa tibia (ver páginas 161 y 162) con infusión de caléndula. Utilizar cinta adhesiva para sujetar el vendaje.

• *Acné*

Aplicar una compresa tibia sobre el rostro (ver página 162) con infusión fuerte de caléndula dos veces por semana.

• *Heridas de curación lenta, inflamaciones*
Aplicar vendas o compresas tibias (ver páginas 161 y 162) con infusión o ungüento de caléndula varias veces por día.

• *Laceraciones menores, contusiones o quemaduras*
Aplicar compresas tibias con infusión de caléndula varias veces por día.

• *Eccemas*
Aplicar ungüento sobre la región afectada varias veces por día. Si las regiones afectadas son más grandes, aplicar vendas tibias con infusión. También puede lavarse el cuerpo completo con vinagre de manzana (ver página 169) y efectuar baños periódicos de manzanilla (ver página 163).

• *Úlceras por decúbito*
Masajear las zonas propensas a desarrollar úlceras producidas por una prolongada permanencia en cama con ungüento de caléndula varias veces por día. Aplicarlo sobre las úlceras ya existentes con la mayor frecuencia posible.

• *Infecciones bucales o de la garganta*
Enjuagar la boca o efectuar gárgaras con infusión de caléndula tibia varias veces por día.

La caléndula se utiliza principalmente en forma de ungüento o infusión.

NEGUILLA

UNA ANTIGUA ESPECIA-REMEDIO

La neguilla cuenta con una larga historia. En Europa, fue utilizada durante siglos como especia. La planta también era muy apreciada y se utilizaba como tónico y como remedio para infecciones, mordeduras de serpientes y rabia. Se la suministraba a mujeres para aumentar la lactancia. La hierba cayó lentamente en desuso durante el siglo XVIII y en la actualidad solo se cultiva en los países occidentales.

La neguilla florece entre enero y marzo.

En Egipto y otros países del Medio Oriente, sin embargo, la neguilla ha sido una especia y un remedio de uso diario durante más de 3000 años. Allí aún se la utiliza para el cuidado y belleza de la piel, el cabello y las uñas, y como remedio para tratar resfríos, fiebre y dolores de cabeza. También es de gran utilidad como tratamiento para la impotencia y para malestares femeninos. "La neguilla lo cura todo, salvo la muerte", declaró el profeta Mahoma.

En la medicina popular europea, las semillas se utilizaron durante un largo tiempo para aliviar malestares digestivos. La hierba también era conocida por sus propiedades de curación de heridas y por su capacidad de aliviar calambres. Luego de haber sido casi olvidada durante más de 200 años, informes sobre sus asombrosos resultados terapéuticos han renovado el interés.

CÓMO RECONOCER LA NEGUILLA

La neguilla verdadera (*Nigella sativa*) posee otros nombres comunes, entre ellos, flor de hinojo, flor de nuez moscada o alcaravea negra. No se relaciona ni con la alcaravea, una especia común, ni con el comino de la India. La planta es originaria de Medio Oriente, India y sur de Europa. La mayoría de las semillas de neguilla son importadas de Egipto, ya que se considera que la neguilla egipcia es de una calidad excepcional. La planta herbácea, que puede alcanzar una altura aproximada de 50 cm, presenta tallos peludos, simples o ramificados, y hojas rugosas trilobuladas. Florece entre enero y marzo. Sus flores son blancas, de pétalos con matices verdosos en los extremos. Las semillas negras miden alrededor de tres milímetros de longitud, poseen tres grietas longitudinales y crecen dentro de cápsulas que se asemejan a los frutos de la planta de amapola. Algunos miembros de la familia de la neguilla carecen de propiedades medicinales y hasta pueden resultar venenosos. Uno de ellos es la arañuela (*Nigella damascena*), también conocida como comino de Turquía.

En el mundo occidental, la neguilla casi no se aprecia en jardines ni crece en estado silvestre.

Esta especie se cultiva con frecuencia como planta ornamental, al igual que la especie venenosa *Nigella garidella.*

CULTIVO Y COSECHA

La neguilla se desarrolla bien en zonas de clima cálido y moderado, y puede cultivarse con facilidad en jardines. Plantar las semillas negras maduras a fines del verano. Transcurrido un año, podrán cosecharse las partes aéreas, incluso las cápsulas de color marrón claro de la planta de comino. Secar tanto la hierba como las semillas. Como es una planta anual, muere en otoño.

EL VERDADERO VALOR DE LA NEGUILLA

Remedio eficaz para infecciones y asma.

Sus asombrosas propiedades medicinales se deben a la sinergia de varios ingredientes activos bioquímicos. Además de grandes cantidades de ácidos grasos no saturados, la planta contiene aceites volátiles, taninos y amargos. Los ácidos grasos son principalmente responsables de la capacidad de la hierba de regular la función inmunológica. Si el sistema inmunológico tiende a reaccionar en forma demasiado débil o enérgica a diversos "invasores", la neguilla puede corregir con eficiencia, la respuesta inapropiada. Esta propiedad convierte a la hierba en un agente profiláctico eficaz contra resfríos y otras enfermedades infecciosas, así como también en un remedio útil para tratar diversas enfermedades alérgicas, tales como asma, neurodermatitis o fiebre del heno. El nigelon, otro ingrediente activo, alivia espasmos bronquiales asociados con la tos convulsa y el asma.
Asimismo, las semillas de neguilla se utilizan para tratar varias afecciones gastrointestinales, tales como los gases abdominales y la diarrea. La timoquinona, otro compuesto químico presente en las semillas, estimula la producción de bilis y se la utiliza para prevenir cólicos en la vesícula biliar. También disminuye la glucosa en sangre.

EFECTOS COLATERALES NO DESEADOS

No posee efectos colaterales. Su consumo en grandes cantidades, sin embargo, puede provocar problemas gastrointestinales. Por seguridad, no es conveniente excederse de la dosis recomendada.

¡IMPORTANTE PARA DIABÉTICOS! La neguilla disminuye la glucosa en sangre y solo pueden utilizarlo aquellos diabéticos que se someten a controles regulares de los niveles de glucosa en sangre. Consultar al médico antes de ingerir esta hierba en una cantidad superior a la media.

USO ADECUADO

Es necesario tener cuidado con productos no puros.

Se recomienda adquirir preparados de neguilla solo en tiendas de productos naturistas o dietéticas. Los mejores son los productos con neguilla de origen egipcio. Los preparados de bajo costo pueden contener otras formas tóxicas. Una gran cantidad de preparados cuenta con el agregado de vitaminas, en especial betacaroteno y vitamina E, ya que las semillas son una fuente relativamente pobre en estos nutrientes.

INFUSIÓN

RECETA

• ***Ingredientes:*** semillas de neguilla, que pueden encargarse a cualquier proveedor.
• ***Modo de preparación:*** moler dos cucharaditas de semillas en un mortero. Verter una taza de agua hirviendo sobre la pasta. Dejar reposar durante diez minutos y filtrar. Beber una taza cada dos días.

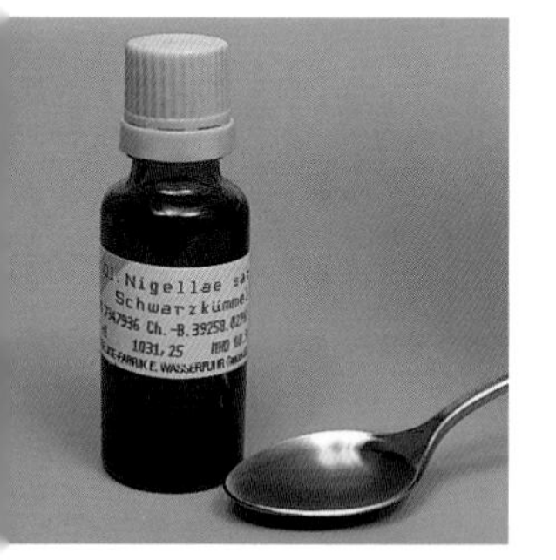

El aceite de neguilla debe almacenarse en lugares secos y frescos.

CONSEJO: LA NEGUILLA COMO CONDIMENTO

Utilizar las semillas de neguilla como condimento para ensaladas o panes caseros, o bien agregar un toque oriental al café o al té con semillas de comino trituradas o molidas.

ACEITE DE NEGUILLA

El aceite de neguilla se encuentra a la venta en forma de perlas o líquida. Debe ser del tipo prensado en frío, sin aditivos químicos, y siempre debe almacenarse en lugares secos y frescos para que no se torne rancio. El aceite líquido puede conservarse, una vez abierto, durante alrededor de seis meses. El aceite destruye los gérmenes y desinfecta la piel en forma delicada.

★ ***Importante:*** mantener el aceite con agregado de ozono y lejos del contacto con los ojos.

INHALACIONES Y BAÑOS DE VAPOR FACIALES

• ***Ingredientes:*** semillas de neguilla, aceite de neguilla, agua caliente.
• ***Modo de preparación:*** colocar dos cucharaditas de semillas y veinte gotas de aceite de neguilla en un recipiente. Agregar aproximadamente dos litros de agua caliente. Inclinarse sobre el recipiente y colocar una toalla de mano sobre la cabeza y por encima del recipiente. Inhalar el vapor durante diez minutos.

DOSIS ADECUADA

Para efectuar un tratamiento, ingerir 1,5 a 3 gramos de semillas de aceite de neguilla durante tres a seis meses. Un gramo de aceite equivale a dos o tres perlas de aceite o 25 gotas. Esta dosis sirve también para la mayoría de los preparados que se adquieren en comercios. En caso de condiciones crónicas, ingerir tres gramos de aceite por día. Los niños pequeños menores de seis años deben ingerir un tercio de la dosis de adultos, o una cucharadita de aceite por día dividida en dos dosis. Los niños de entre siete y doce años deben ingerir la mitad de la dosis de adultos.

CASOS EN LOS QUE PUEDE UTILIZARSE

La neguilla se utiliza principalmente para fortalecer el sistema inmunológico, aliviar malestares gastrointestinales y tratar desórdenes cutáneos.

PRINCIPALES APLICACIONES

TRASTORNOS	APLICACIONES SUGERIDAS
Acné	Tratamiento con aceite de neguilla, baño de vapor facial.
Alergias	Utilizar aceite o perlas de aceite, beber infusión.
Asma	Utilizar aceite o perlas de aceite, inhalaciones.
Bronquitis	Utilizar aceite o perlas de aceite, inhalaciones.
Resfríos, gripe	Tratamiento con aceite de neguilla, inhalaciones.
Infecciones cutáneas fúngicas	Aplicar aceite de neguilla con ozono agregado.
Malestares gastrointestinales	Utilizar semillas, aceite o perlas de aceite, beber infusión.
Inmunodeficiencia	Tratamiento con aceite de neguilla.
Neurodermatitis	Utilizar aceite o perlas de aceite, aplicar aceite sobre la piel.

INMUNODEFICIENCIA

Aquellas personas cuyo sistema inmunológico se encuentra debilitado son más propensas a sufrir resfríos y demás enfermedades infecciosas. Asimismo, son más susceptibles a las infecciones cutáneas fúngicas. La neguilla, sumado a una dieta sana y al ejercicio apropiado, ayuda a mejorar la capacidad que tiene el organismo de combatir enfermedades.

RECETA

• ***Inmunodeficiencia:*** las personas propensas a sufrir infecciones deben efectuar un tratamiento con aceite de neguilla e ingerir una o dos perlas de aceite en forma diaria durante aproximadamente seis meses.

• ***Resfríos:*** al primer síntoma de resfrío, como por ejemplo escalofríos o picazón en la garganta, es conveniente comenzar a ingerir neguilla de inmediato. La dosis recomendada es de dos o tres perlas de aceite tres veces por día. En muchos casos, el sistema inmunológico se encontrará lo suficientemente fortalecido como para combatir la enfermedad. De otra forma, si se manifestara la enfermedad, es probable que los síntomas sean más leves que de costumbre.

★ ***Importante:*** si el cuerpo se encuentra debilitado como consecuencia de un resfrío o gripe aguda, debe estimularse el sistema inmunológico en forma suave mediante la dosis media de una perla de aceite tres veces al día.

• ***Bronquitis:*** en caso de que el resfrío o la gripe se hubiera convertido en una bronquitis aguda, es posible acelerar la recuperación con dos perlas de aceite de neguilla tres veces al día. Además, es conveniente efectuar inhalaciones dos veces al día.

INMUNODISFUNCIONES (ALERGIAS)

Actualmente es difícil encontrar personas que no sufran de ningún tipo de alergia. La fiebre del heno, el asma, las alergias a determinados alimentos y la neurodermatitis son todos signos de que el sistema inmunológico se encuentra atacando sustancias no perjudiciales como si fueran intrusos peligrosos. Estas reacciones alérgicas pueden provocar síntomas leves, tales como estornudos o picazón en la piel, o bien pueden desencadenar condiciones serias como la conmoción tóxica, una reacción alérgica grave que puede comenzar, por ejemplo, como consecuencia de la picadura de una abeja. El tratamiento con neguilla permite corregir la función inmunológica de manera moderada. Para lograrlo, es necesario ingerir el remedio durante un período prolongado.

A diferencia de las drogas sintéticas, tales como la cortisona, los remedios naturales no producen resultados inmediatos.

• ***Asma:*** las personas asmáticas deben realizar periódicamente un tratamiento con semillas de neguilla. Este remedio puede utilizarse junto con terapias a base de cortisona, que resulta con frecuencia necesaria para controlar el asma.

Ingerir una o dos perlas por día durante tres meses o más. Además, efectuar inhalaciones una vez al día.

RECETA

• ***Fiebre del heno:*** durante la estación de producción de polen, cuando los niveles de polinización son elevados, ingerir dos perlas tres veces al día. Durante el resto del año, ingerir una tres veces al día. En caso de síntomas agudos, beber una taza de infusión de neguilla varias veces al día. Cuando los síntomas mejoren, se podrá reducir la dosis.

MALESTARES GASTROINTESTINALES

Los ingredientes activos presentes en las semillas alivian de manera efectiva los malestares gastrointestinales leves, tales como la sensación de pesadez estomacal, la acidez, los gases abdominales, la diarrea y la constipación. En caso de síntomas agudos, ingerir dos perlas tres veces por día. Para ayudar a la digestión, beber una taza de infusión antes de cada comida.

TRASTORNOS CUTÁNEOS

La neguilla cuenta con una excelente reputación como remedio para diversas afecciones cutáneas. En estos casos, se recomienda la combinación de su uso externo e interno. Incluso la piel sana puede beneficiarse con sus ingredientes activos. La piel cansada y estresada adquiere un aspecto más terso y saludable. El cabello y las uñas adquieren brillo y vigor.

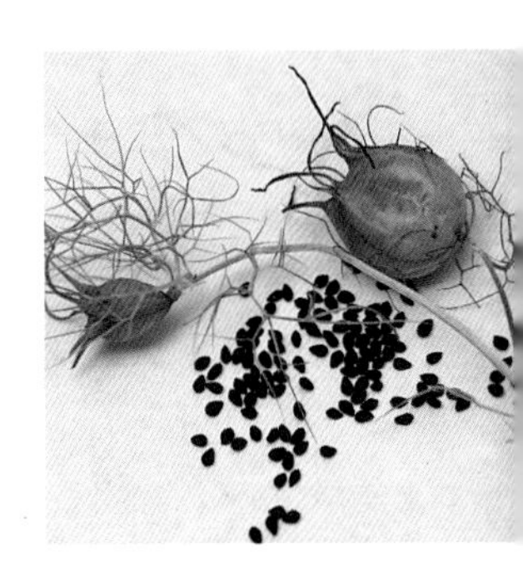

CONSEJO: PRECALENTAR EL ACEITE

Antes de aplicar aceite no diluido sobre regiones pequeñas de la piel, precalentarlo levemente. Para ello, colocar la botella en un recipiente con agua tibia. El aceite se tornará más líquido.

• ***Acné***

Efectuar un tratamiento con aceite de neguilla en forma periódica. Ingerir una o dos perlas tres veces por día durante tres a seis meses. Además, es conveniente efectuar varios baños de vapor faciales durante la semana, de ser posible.

• ***Neurodermatitis, eccemas***

Ingerir dos o tres perlas por día durante varios meses, hasta que se aprecien mejoras. Como tratamiento externo adicional, aplicar aceite diluido sobre la región afectada varias veces por día.

• ***Infecciones cutáneas fúngicas***

Aplicar aceite de neguilla con agregado de ozono sobre la región afectada tres veces por día. Ingerir aceite líquido o en perlas. Utilizar la dosis normal.

EQUINÁCEA

ESTIMULANTE DEL SISTEMA INMUNOLÓGICO

La equinácea púrpura, más conocida por su nombre en latín, *Echinacea*, es originaria de América del Norte. Fue una de las hierbas más populares utilizadas por los americanos nativos, quienes la emplearon principalmente como tratamiento para heridas de curación lenta. Además, se utilizó como remedio para el dolor, las intoxicaciones, los calambres y el cáncer de mama, y también se usó para aumentar la resistencia del organismo a todo tipo de infecciones.

La equinácea encontró su camino hacia la medicina convencional en el siglo XVIII. El conocimiento de sus poderes curativos —en una primera instancia en aplicaciones homeopáticas—, se expandió a principios del siglo XX. Luego de varias décadas de popularidad, la equinácea desapareció de vista en la década de 1930 cuando aparecieron en comercios, las primeras drogas sulfa. En la medicina herbal, continúa utilizándose en gran medida como estimulante del sistema inmunológico.

La equinácea se desarrolla bien en la mayoría de los jardines.

CARACTERÍSTICAS

En América del Norte, la equinácea de hojas angostas (*Echinacea angustifolia*) y la de flores pálidas (*Echinacea pallida*) pueden encontrarse tanto en suelos secos como arenosos en las orillas de los ríos, llanuras y bosques secos. La púrpura (*Echinacea purpurea*) es la especie que se cultiva en general para uso medicinal. A esta planta se la reconoce por sus flores cónicas de color púrpura y hojas oblongas de bordes lisos. Tanto los tallos como las hojas son aterciopelados. Florece de enero a marzo. La *Echinacea angustifolia* alcanza una altura aproximada de 45 cm, mientras que la *Echinacea purpurea* duplica esta altura.

CULTIVO Y COSECHA

La mayoría de los tipos de clima de América son aptos para el cultivo de la equinácea en exteriores, ya sea en el jardín, o en macetas de patios o terrazas. Entre las diversas especies, la *Echinacea purpurea* es la mejor opción. No solamente es rica en ingredientes bioquímicamente activos, sino también es una hermosa planta ornamental para jardines o balcones. La *Echinacea pallida* también es apta para el cultivo.

Las flores tienen forma cónica.

La *Echinacea purpurea* es una planta perenne, herbácea y resistente que necesita poco cuidado: se desarrolla bien en lugares soleados, pero también resiste la sombra parcial. Si se desea proporcionar nutrientes

adicionales, se recomienda enriquecer el suelo con abono o fertilizante orgánico.
Una vez que la planta haya alcanzado la altura aproximada de 45 cm, sujetarla en varillas para evitar que los tallos se inclinen y se quiebren.
Las plantas frescas deben cosecharse al florecer y luego colgarse en un lugar seco y oscuro. Sin embargo, las raíces frescas no se cosechan hasta el otoño, cuando deben limpiarse, trozarse y secarse por separado. La hierba seca puede conservarse en alcohol o mezclarse con una base para preparar ungüentos.

EL VERDADERO VALOR DE LA EQUINÁCEA

El principal ingrediente activo presente en todas las especies de equinácea es la equinacina. Sin embargo, existen otras sustancias que contribuyen a la eficacia general de la hierba: aceites volátiles, flavonoides, resinas, amargos y fitosteroles. La *Echinacea purpurea* contiene, además, alcaloides y vitaminca C.

La equinácea aumenta la concentración de hormonas en la sangre, necesarias para combatir enfermedades.

La equinácea se conoce principalmente por su efecto sobre el sistema inmunológico. Aumenta el número de glóbulos blancos en la sangre y estimula la actividad de las células "asesinas" naturales. El tratamiento incluso parece ser eficaz como terapia antibiótica en una gran cantidad de casos. Los estudios han demostrado que la hierba alivia la tos en niños con tos convulsa dentro de las dos semanas, al igual que con antibióticos. En pacientes no tratados, los síntomas se prolongaron durante cuatro a ocho semanas. Además, los niños tratados con equinácea no sufrieron los espasmos típicos asociados con la enfermedad.
El uso externo de equinacósido, otro ingrediente activo presente en las raíces de *E. angustifolia*, es efectivo para proteger el organismo contra bacterias, virus y hongos. Si bien este compuesto químico no destruye estos organismos, evita su ingreso al cuerpo. Asimismo, evita el desarrollo de hongos. El equinacósido estimula la producción de fibroblastos, el material de reconstrucción de los tejidos, y así reduce hinchazón e infecciones.

EFECTOS COLATERALES NO DESEADOS

Aquellas personas alérgicas a las plantas de la familia de la margarita pueden sufrir náuseas o diarrea al ingerir equinácea. Su uso externo puede provocar quemaduras, picazón o sarpullidos. En tales casos, interrumpir el tratamiento.

El uso externo evita la entrada de gérmenes al organismo.

Las personas con diagnóstico de sida e infecciones HIV, esclerosis múltiple, tuberculosis, leucemia, diversas enfermedades colágenas (lupus, esclerodermia, artritis reumática) y otros trastornos inmunológicos, no deben utilizar preparados de equinácea.

★ ***Importante:*** la equinácea no debe consumirse durante más de ocho semanas seguidas. Los tratamientos prolongados, que exceden este tiempo, poseen el riesgo de provocar reacciones adversas del sistema inmunológico. Todo tratamiento con equinácea aplicado a personas que sufren enfermedades graves debe efectuarse bajo la supervisión del médico.

USO ADECUADO

Es necesario tener cuidado con los productos adulterados.

Es necesario adquirir los preparados en comercios confiables. Una gran cantidad de productos se adultera con otras hierbas. La dosis normal para adultos es de 40 gotas de tintura a base de alcohol, que es la forma más frecuente de comercialización, tres veces al día. Los niños pequeños deben ingerir 5 gotas; los mayores, 10 gotas disueltas en líquido hasta cinco veces al día.

TRATAMIENTO INTENSIVO

Al tratar infecciones con equinácea, comenzar con una dosis elevada, luego, dosis menores en intervalos cortos durante el primer día:

- Adultos: 40 gotas para comenzar y luego 20 gotas cada una o dos horas (comenzando el segundo día con 40 gotas tres veces al día).
- Niños mayores: 20 gotas para comenzar y luego diez gotas cada una o dos horas.
- Niños pequeños: 10 gotas para comenzar y luego cinco gotas cada una o dos horas.

IMPORTANTE: No deben utilizarse preparados de equinácea (incluyendo ungüentos) en niños menores de un año. Los niños con alergias no deben tratarse con equinácea hasta los tres años.

TINTURAS, COMPRIMIDOS Y GLICÉRITOS LIBRES DE ALCOHOL

• Las **tinturas** a base de alcohol contienen jugo exprimido de raíces. Son menos alergénicas ya que virtualmente no contienen proteínas, que son los alergenos contra los que reacciona el organismo.
• Los **comprimidos**, **cápsulas**, **comprimidos masticables** y **glicéritos** pueden ser utilizados por aquellas personas que desean evitar el alcohol.
• En caso de **infecciones**, los médicos europeos utilizan preparados especiales de equinácea elaborados con las partes externas de la planta. Someterse a un control alérgico antes de aplicarse inyecciones.

TABLETAS, SOLUCIONES PARA GÁRGARAS, ENJUAGUES BUCALES

Las tabletas, las soluciones para gárgaras y los enjuagues bucales son recomendados para infecciones de las vías respiratorias superiores ya que comienzan su acción terapéutica justo en la garganta.

TÉ, MEZCLA PARA CATAPLASMAS

Verter una taza de agua hirviendo sobre dos cucharaditas de hierbas secas, cubrir y dejar reposar durante diez minutos, luego filtrar. Cortar dos raíces frescas o secas o una planta completa en trozos pequeños. Moler la hierba seca en un mortero, agregar un poco de agua y pisar la mezcla hasta obtener un puré con ayuda de una licuadora. En caso de utilizar la hierba fresca, pisarla directamente hasta obtener un puré, sin triturarla antes.

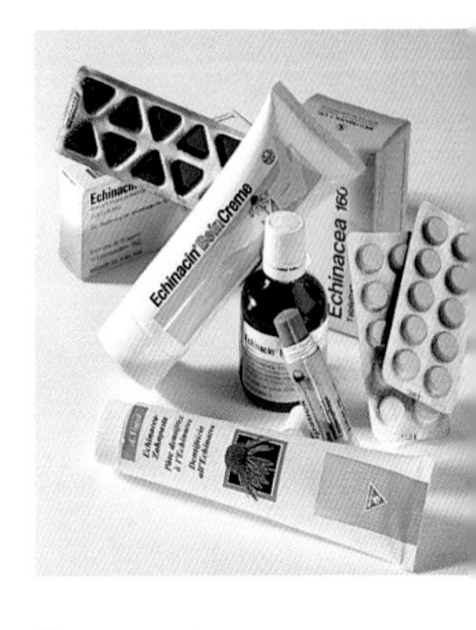

Se encuentra a la venta una gran cantidad de preparados diferentes.

UNGÜENTO, LÁPIZ LABIAL Y JABÓN

El ungüento se utiliza para tratar la piel. El lápiz labial ayuda a curar labios resquebrajados e irritados. El jabón permite tratar manchas o con acné.

PREPARADOS HOMEOPÁTICOS

Los homeópatas utilizan la equinácea principalmente para tratar las mismas afecciones que son generalmente tratadas con preparados herbales.

CASOS EN LOS QUE PUEDE UTILIZARSE

La equinácea se utiliza en su gran mayoría como tratamiento para todo tipo de infecciones. También puede utilizarse en forma conjunta con antibióticos para fortalecer el sistema inmunológico.

★ ***Importante:*** se recomienda consultar al médico acerca de la dosis adecuada. Continuar con el tratamiento durante una o dos semanas más después de haber finalizado con los antibióticos.

CONSEJO: BOTIQUÍN DE PRIMEROS AUXILIOS PARA EL VIAJE

Es necesario llevar equinácea en los viajes: el ungüento ayuda a tratar picaduras de insectos y lesiones cutáneas menores. Las tinturas, cápsulas y comprimidos ayudan a evitar infecciones. Para vendas o enjuagues, es posible triturar comprimidos de equinácea y disolverlos en agua hervida.

PRINCIPALES APLICACIONES

MALESTARES	APLICACIONES SUGERIDAS
Resfrío, gripe	Ingerir una tintura; comenzar con una dosis inicial elevada.
Herpe labial	Aplicar ungüento o tintura.
Infecciones cutáneas fúngicas	Aplicar ungüento o ingerir una tintura.
Inmunodeficiencia	Ingerir una tintura.
Heridas infectadas	Aplicar ungüento; cataplasma con mezcla de equinácea o disolución diluida.
Infecciones bucales o de la garganta	Efectuar gárgaras con una tintura diluida.
Herpes	Aplicar mezcla de equinácea o tintura diluida; ingerir una tintura.
Infecciones urinarias	Ingerir gotas; comenzar con una dosis inicial elevada.
Infección vaginal	Ingerir una tintura.

INMUNODEFICIENCIA

En los períodos de mayor riesgo a infecciones (al utilizar el aire acondicionado, el contacto con una gran cantidad de personas, inmunodeficiencias, internaciones en hospitales, viajes al exterior) o antes de un evento importante cuando se desea evitar resfríos, es conveniente efectuar un tratamiento con equinácea.

Ingerir 40 gotas disueltas en agua tres ves al día, después de las comidas, durante tres semanas. Repetir el tratamiento luego de tres semanas, si se desea.

INFECCIONES OCULARES

La equinácea también resulta un remedio eficaz para infecciones oculares tales como conjuntivitis, orzuelos o blefaritis (inflamación de los párpados).

Aplicar una cataplasma con mezcla fresca de equinácea o ungüento sobre el ojo cerrado y dejar actuar durante alrededor de quince minutos. Repetir si fuera necesario.

RESFRÍOS

Al utilizar la equinácea para tratar resfríos, es importante elegir el tipo adecuado de planta. Los preparados de *Echinacea purpurea* son muy eficaces para resfríos, mientras que aquellos que contienen *Echinacea angustifolia* prácticamente no permiten obtener resultado alguno. Ante el primer síntoma de resfrío, comenzar con una dosis inicial elevada el primer día para después reducirla a la dosis normal y continuar con el tratamiento hasta que los síntomas hayan desaparecido.

INFECCIONES DEL TRACTO URINARIO

Las infecciones del tracto urinario, también llamadas infecciones urinarias o síntomas de irritación de la vejiga, igualmente pueden tratarse con equinácea.
Comenzar con una dosis elevada el primer día y luego reducirla a la dosis normal. Además, es conveniente alternar con té de equinácea, té para los riñones y la vejiga, y refresco de vinagre de manzana y miel.

LA PIEL Y LAS MEMBRANAS MUCOSAS

Las infecciones provocadas por virus, bacterias u hongos, así como también las heridas de curación lenta, responden muy bien al tratamiento. Los preparados de *Echinacea purpurea* son muy eficaces para herpes, pero aquellos que contienen *Echinacea angustifolia* dan un resultado reducido.

• ***Herpe labial, herpes***
Ante el primer síntoma de infección, aplicar ungüento en la región afectada. Para aliviar herpes, aplicar una cataplasma con mezcla de equinácea o una venda con tintura diluida (ver página 160). Además, ingerir una tintura.

• ***Heridas infectadas o de curación lenta***
Aplicar ungüento sobre la herida, o bien aplicar una cataplasma con mezcla de equinácea o una compresa con tintura diluida (ver página 161).

• ***Infecciones bucales o de la garganta***
Preparar una solución para gárgaras con dos partes de agua y una parte de tintura de equinácea. Hacer gárgaras tres veces por día hasta que la infección haya desaparecido.

• ***Infección vaginal***
Además del tratamiento convencional para infecciones vaginales recetado por el médico, ingerir tintura de equinácea durante ocho semanas. Esto permitirá reducir de manera considerable la posibilidad de infecciones recurrentes.

ESPINO ALBAR

UN TÓNICO PARA EL CORAZÓN

La medicina china ha utilizado diversas especies de espinos durante cientos de años. En Europa, se conocían las propiedades medicinales de la planta ya en la Edad Media, aunque dicho conocimiento quedó luego en el olvido. La superstición acreditó al espino características de protección. Los amuletos con ramas de espino eran utilizados para mantener alejadas las enfermedades. Desde el siglo XIX, el té de hierbas preparado con las flores, hojas y frutos del espino ha vuelto a utilizarse como remedio para diversas afecciones cardíacas. La hierba también se ha utilizado como tratamiento para la tos, trastornos renales y epilepsia. En estos últimos años, el espino ha logrado finalmente reconocimiento científico y se ha convertido en una de las hierbas más populares utilizadas por la medicina alternativa. Actualmente, desempeña un papel esencial como remedio para el corazón.

La florescencia del espino es muy hermosa y atractiva, pero de olor desagradable.

CARACTERÍSTICAS DEL ESPINO

El espino es miembro de la familia de la rosa. Por desgracia, sus flores no poseen en absoluto su perfume, sino que se asemeja más al del arenque en salmuera. Las dos especies de espino utilizadas con fines medicinales son el espino albar o majuelo de semillas simples (*Crataegus monogyna*), un arbusto que crece hasta una altura aproximada de 7,60 m y que se utiliza con frecuencia para setos, y el espino blanco (*Crataegus laevigata*), un árbol que alcanza una altura aproximada de 12 m. Son originarios de Europa y del norte de África, y en general, se cultivan como plantas ornamentales. Su hábitat son las zonas soleadas, los montes bajos y los bosques de árboles caducifolios.

Las ramas del espino se encuentran cubiertas de espinas afiladas. Las hojas, de color verde oscuro en el anverso y verde azulado en el reverso, son trilobuladas y presentan bordes aserrados e irregulares. Entre noviembre y enero, la planta da flores blancas con estambres rojos que luego se convierten en frutos rojos. Los frutos son dulces, nutritivos y con contenido de mucílago.

CULTIVO Y COSECHA

Para cultivar un seto de espino, es necesario plantar esquejes de aproximadamente 15 cm cada uno en dos hileras de cultivo (ubicar las plantas con una separación de 50 cm entre una y otra, y 25 cm entre hilera e hilera). El suelo debe ser rico en cal, pero relativamente pobre en otros nutrientes. El espino debe cosecharse fresco y utilizarse en el lapso de un año. Los extremos de los brotes jóvenes, de aproximadamente 7,50 cm de longitud, se cosechan mientras la planta se encuentra florecida. Los frutos se recolectan más tarde, cuando ya adquirieron un color rojo brillante. Todas las partes de la planta deben secarse con rapidez a temperaturas que no excedan los 45 °C. Una vez seca, la hierba debe almacenarse en recipientes con cierre hermético lejos de la luz y la humedad. El almacenamiento inadecuado puede provocar la pérdida de valiosos ingredientes activos y la reducción de la eficacia de la hierba como remedio.

Debido a las espinas, el espino solía cultivarse en setos para cercar campos y pastizales.

EL VERDADERO VALOR DEL ESPINO

El espino es conocido por su acción moderada. Es rico en flavonoides y contiene diversos ingredientes activos. Juntos, estos compuestos químicos mejoran la circulación de las venas coronarias, fortalecen el corazón y regulan la descarga y transmisión de impulsos eléctricos en el corazón. Debido a tales efectos cardíacos, también puede resultar útil para corregir arritmias menores.

Se ha demostrado que la hierba mejora la circulación en general. Asimismo, ejerce un efecto sedante y permite aliviar el agotamiento, el insomnio y los síntomas de la menopausia. El espino contribuye a prevenir la arteriosclerosis y ayuda a fortalecer el organismo durante la recuperación de una enfermedad.

★ ***Importante:*** nunca debe abandonarse la medicación recetada para el corazón sin consultar previamente al médico. Además, no debe modificarse la dosis de medicación a menos que así lo haya ordenado el médico.

USO ADECUADO

La hierba seca consiste en flores solas o en una mezcla de flores y hojas. Las flores solas probablemente sean más eficaces que las mezclas. Por otro lado, los estudios realizados acerca del espino se han centrado principalmente en las mezclas de hierbas y sus efectos terapéuticos.

INFUSIÓN

Es posible utilizar las flores y hojas del espino, recolectadas en estado silvestre o del jardín, o bien comprar la hierba. La infusión de espino se recomienda como remedio para trastornos cardíacos menores, o como medio para evitar una función cardíaca disminuida (insuficiencia del miocardio).

- ***Ingredientes:*** flores y hojas de espino, agua caliente.
- ***Modo de preparación:*** verter una taza de agua hirviendo sobre una cucharadita de flores y hojas de espino. Cubrir y dejar reposar durante veinte minutos; y luego filtrar.

CONSEJO: ADITIVOS PARA SABORIZAR

La infusión de espino posee muy poco sabor. Si desea, puede endulzarlo con miel o agregarle una cucharadita de otra hierba, como por ejemplo, melisa, para darle un sabor más atractivo.

GOTAS

Asimismo, puede emplearse una tintura como tónico de acción moderada para evitar una función cardíaca disminuida o como remedio para aliviar trastornos cardíacos menores.

Llenar una botella de boca ancha o una jarra grande con un tercio de hojas y flores frescas. Agregar licor transparente hasta el tope. Conservar en un lugar cálido y soleado durante seis semanas; luego filtrar.

Los frutos rojos del espino son de sabor dulce.

SUPLEMENTOS

En caso de condiciones más graves, utilizar suplementos de espino. Estos contienen cantidades estandarizadas de los ingredientes activos de la hierba. La dosis recomendada es de 600 y 900 mg de extracto en polvo.

REMEDIOS HOMEOPÁTICOS

En la homeopatía, el "Crataegus" se utiliza principalmente como tintura básica para trastornos cardíacos.

CASOS EN LOS QUE PUEDE UTILIZARSE

Desarrolla su acción terapéutica durante el transcurso de cuatro a ocho semanas. Es necesario ingerirlo durante al menos seis semanas.

★ ***Importante:*** en caso de no experimentar mejora alguna después de seis semanas, o sufrir edemas en las piernas, debe consultarse al médico. En caso de padecer falta de aire o dolores en la zona del corazón que se extiendan hasta los brazos, el estómago o el cuello, consultar al médico de inmediato.

PRINCIPALES APLICACIONES

MALESTARES	APLICACIONES SUGERIDAS
Primeras etapas de disfunción cardíaca	Beber té de espino o ingerir extracto.
Astenia neurocirculatoria (debilidad)	Beber té de espino o ingerir extracto.

PREVENCIÓN DE LA FUNCIÓN CARDÍACA DISMINUIDA

Después de los treinta años de edad, la función cardiovascular humana disminuye en forma constante. La función cardíaca disminuida, o insuficiencia del miocardio, es el diagnóstico más frecuente entre pacientes mayores de sesenta y cinco años.

La mejor prevención consiste en caminar, nadar o andar en bicicleta en forma periódica.

El espino es excelente para evitar y tratar la insuficiencia del miocardio provocada por debilitamiento del músculo del corazón por la edad, por la disminución incipiente en la circulación en las venas coronarias o para infecciones agudas, como la gripe o la neumonía. A medida que el corazón se fortalece, los síntomas relacionados disminuyen, como por ejemplo la falta de vigor y de aire, la fatiga y la tos ante estrés o cansancio. Los preparados de espino son eficaces para tratar insuficiencia leve del miocardio y pueden competir con ciertas drogas sintéticas, llamadas "inhibidoras de la enzima conversora de angiotensina".

Ingerir 25 gotas de tintura de espino de una a tres veces por día, o bien beber una taza de té de espino dos o tres veces por día.

INSUFICIENCIA LEVE DEL MIOCARDIO

Los primeros signos de una función cardíaca disminuida son la falta de aire, la fatiga, la aceleración del pulso, la presión arterial elevada y los latidos irregulares del corazón durante la actividad normal. Estos síntomas desaparecen cuando el cuerpo descansa.

Beber dos tazas de té por día, o ingerir 25 gotas de tintura tres veces al día. Si no resultara conveniente, o en caso de preferirse un preparado con cantidades estandarizadas de ingredientes activos, ingerir el extracto de espino que puede adquirirse en comercios, de acuerdo con las instrucciones.

ASTENIA NEUROCIRCULATORIA

Estos son problemas cardíacos que carecen de una causa orgánica porque son provocados por el estrés o el nerviosismo. El paciente sufre dolores en el pecho, palpitaciones, aceleración del pulso y transpiración excesiva, junto con nerviosismo y ansiedad. A diferencia de los trastornos cardíacos de causas orgánicas, estos síntomas no son provocados por esfuerzos físicos.

Preparar una mezcla de 20 gramos de espino (flores y hojas), 10 gramos de agripalma, 10 gramos de hojas de melisa y 10 gramos de valeriana. Verter una taza de agua caliente sobre dos cucharaditas de la mezcla de hierbas. Dejar reposar durante diez minutos, y luego filtrar. Beber una taza endulzado con miel todas las mañanas y las noches hasta tanto los síntomas disminuyan.

HIDROTERAPIA

El agua es esencial para nuestra existencia. Sin ella, no habría vida. Desde que nacemos nos sentimos cómodos en el agua. Es delicada y pura cuando emerge de la tierra como una fuente surgente de montaña, vigorizante al caer en forma de cascada, o caliente al emanar de un géiser. Puede ser transparente y clara, saber a sal, hierro o cal, oler a azufre, o ser gasificada por naturaleza.

El agua puede utilizarse en todas sus diversas formas para mejorar la salud. El conocimiento de sus poderes curativos representa uno de los primeros descubrimientos médicos. El agua que es naturalmente rica en minerales no solo es beneficiosa cuando se la ingiere, sino también cuando se la utiliza en forma externa para diversas aplicaciones, ya que sus propiedades curativas benefician a todo el cuerpo. Además, no posee efectos colaterales indeseados. El siguiente capítulo enseña a utilizar el agua para prevenir, aliviar o curar diversas afecciones. Descubramos un tipo de tratamiento médico que hasta puede llegar a resultar divertido.

LOS PODERES CURATIVOS DEL AGUA

Los poderes curativos del agua se descubrieron alrededor del tiempo de Hipócrito, varios siglos antes del nacimiento de Cristo. Los antiguos chinos y romanos promovían los baños y se encontraban bastante avanzados en el conocimiento de los usos y beneficios potenciales del agua. En la Edad Media, se abandonó la cultura del baño en un esfuerzo por detener la expansión de las enfermedades venéreas, "el flagelo de la lujuria". En el siglo XIX, Sebastián Kneipp, sacerdote y naturista, redescubrió los poderes curativos del agua. Al sufrir de tuberculosis, una enfermedad considerada mortal en ese tiempo, se trató a sí mismo con diversas aplicaciones de agua y finalmente recuperó su salud. Como resultado de ello, dedicó treinta años de vida a investigar y perfeccionar los métodos de lo que actualmente se conoce como tratamiento con agua de Kneipp o hidroterapia. Transcurrió un tiempo

El agua es una de las fuentes más poderosas de la naturaleza; sin agua, no hay vida.

antes de que los médicos aceptaran sus ideas. Hoy, la hidroterapia de Kneipp aún se utiliza bastante, de la misma forma que en el pasado. Lo que ha cambiado es que ahora existe el agua caliente corriente, una conveniencia moderna que facilita sus aplicaciones.

USO ADECUADO

A pesar de que la hidroterapia es un tratamiento externo, afecta a todo el cuerpo. Como primera reacción al agua fría, los vasos sanguíneos que se encuentran por debajo de la piel se contraen para evitar la pérdida de calor. Una vez que el estímulo frío ha disminuido, los vasos sanguíneos se dilatan de manera considerable para permitir que cantidades suficientes de oxígeno y nutrientes alcancen temporariamente la superficie del cuerpo. Esto provoca un aumento en la función respiratoria y metabólica, fortalece el sistema linfático e inmunológico y, a través de los nervios, estimula los órganos internos. Además, el agua afecta el funcionamiento del sistema nervioso autónomo, la producción de hormonas y la temperatura corporal. Asimismo, mejora la elasticidad de la piel.

El cuerpo aprende a reaccionar con mayor rapidez ante los cambios de temperatura.

La hidroterapia se utiliza para tratar diversos desórdenes. Los estímulos proporcionados por el agua fría son más eficaces para estados agudos. Disminuyen el dolor, detienen infecciones graves y aumentan la respiración. El agua tibia se utiliza con mayor frecuencia para tratar enfermedades crónicas. Se los recomienda en el caso de pacientes que se sienten débiles o sufren el frío. El calor relaja los bronquios y ayuda en forma moderada al cuerpo a combatir enfermedades.

USO ADECUADO DEL AGUA

El agua puede utilizarse en su estado sólido, líquido o gaseoso, y se encuentra al alcance de todos. El tratamiento puede ajustarse de acuerdo con el estado y las necesidades de cada paciente. Si una persona se encuentra débil como consecuencia de una operación o enfermedad seria, se recomienda disminuir la diferencia de temperatura y la fuerza del agua para proporcionar un estímulo más suave.

El agua fría proporciona mayores estímulos que el agua tibia.

La intensidad del estímulo proporcionado por el agua depende de su temperatura, de la duración del tratamiento y del tamaño del área del cuerpo donde se aplica el agua. Las personas que no están acostumbradas al frío deben comenzar con una estimulación suave al utilizar aplicaciones de agua fría. El cuerpo necesita tiempo para adaptarse a bajas temperaturas. Una forma de conseguirlo consiste en comenzar con afusiones en las rodillas y luego, continuar con los muslos, después la pelvis y por último, todo el cuerpo. En caso de utilizar vendas frías, la temperatura inicial del agua debe estar comprendida entre 22° y 24 °C. Después de varias aplicaciones, puede ir reduciendo la temperatura en forma gradual. Con los baños ocurre lo contrario. En este caso, la temperatura del agua para las aplicaciones siguientes debe ser cada vez mayor.

Como regla general, la hidroterapia debe resultar siempre placentera. Las partes frías del cuerpo deben calentarse en forma gradual y moderada, incluso en aquellas personas acostumbradas al frío.

Los niños son más sensibles y reaccionan con mayor intensidad a los estímulos proporcionados por la hidroterapia. Al tratar afecciones que requieren de aplicaciones frías, utilizar agua tibia en lugar de fría en niños pequeños. Por lo general, la temperatura del agua debe ser solamente unos pocos grados menor que la temperatura del cuerpo del niño.

INSTRUCCIONES

- La hidroterapia debe efectuarse en una habitación cálida con buena ventilación.
- No es conveniente practicarla poco tiempo antes o después de las comidas.
- Mantener la respiración normal durante el tratamiento. No contener la respiración.
- Después del tratamiento, no secar el cuerpo con toalla. Escurrir el agua con las manos y recostarse en una cama caliente. Luego de haber efectuado una afusión en las rodillas, el ejercicio suave es una buena forma de calentar el cuerpo.

★ ***Importante:*** en caso de sufrir náuseas, fuertes dolores de cabeza, agotamiento o dolores en el pecho, utilizar aplicaciones moderadas. Si los síntomas no mejoran en un día, o si empeoran, consultar al médico. Las personas postradas en cama o con enfermedades crónicas solamente deben someterse a hidroterapia con la aprobación de un médico especialista.

EFECTOS COLATERALES NO DESEADOS

En general, la hidroterapia no produce efectos colaterales indeseados. Sin embargo, aquellas personas que sufren de trastornos cardiovasculares o problemas de circulación deben evitar las aplicaciones que proporcionen fuertes estímulos de temperatura, tales como los baños calientes o afusiones en todo el cuerpo. No aplicar calor en forma local sobre tumores. En caso de agregar sales de baño u otros ingredientes al agua, es posible que se presenten reacciones alérgicas a estas sustancias. En tal caso, interrumpir la terapia.

VENDAS

Las vendas son versátiles y de aplicación sencilla. Sin embargo, requieren tiempo: una venda debe colocarse entre media hora y una hora, y el paciente debe dedicar ese mismo tiempo a descansar después de haberse quitado la venda.

Con un poco de práctica, las vendas son de fácil aplicación

Por lo general, las vendas se aplican sobre una región adolorida del cuerpo. Se diferencian de acuerdo con la temperatura y el efecto deseado. La mayoría de las vendas son frías. Las temperaturas bajas pueden causar, al principio, la contracción de los vasos sanguíneos, que luego se dilatan. La piel entra en calor. Los efectos de las vendas frías pueden intensificarse con varios ingredientes agregados en el agua.

DIFERENTES TIPOS DE APLICACIONES

- Las vendas se colocan simplemente sobre la región afectada.
- Las compresas son vendas pequeñas.
- Las vendas de mayor tamaño cubren medio cuerpo.

★ ***Importante:*** las vendas tibias no deben utilizarse en pacientes con fiebre. Las vendas frías no se recomiendan si el paciente siente frío o si la parte del cuerpo afectada se encuentra fría.

MODO DE PREPARACIÓN

Crear un ambiente que promueva la relajación. Es esencial dedicar el tiempo necesario al tratamiento y al descanso posterior al mismo. Antes de comenzar, vaya al baño si fuera necesario. La habitación debe contar con una buena ventilación y ser cálida. El paciente debe recostarse para la aplicación de la venda. Colocar todos los elementos necesarios al alcance de la mano para asegurarse de que la venda sea aplicada con rapidez.

Elementos necesarios

- Una primera capa hecha con un lienzo o toalla de lino o algodón (se pueden usar sábanas viejas, repasadores o servilletas de tela). En caso de que se desee aplicar una cataplasma (como por ejemplo de mostaza o cebolla), esta no debe tomar contacto directo con la piel; por ello, la toalla debe triplicar el tamaño de la región afectada.

- Una capa intermedia hecha con una toalla de algodón que sea lo suficientemente grande como para cubrir por completo la primera capa húmeda. Puede emplearse una del doble de tamaño que sirva tanto como capa primera e intermedia. En tal caso, humedecer la mitad de la toalla con el líquido elegido y conservar seca la otra mitad. Colocar la parte húmeda sobre la piel y doblar la parte seca por encima.
- Una capa exterior de tela de lana que sea lo suficientemente grande como para envolver la región del cuerpo afectada.
- Ingredientes necesarios para la cataplasma (si se desea), como por ejemplo, yogur natural, arcilla, puré de papas, granos de mostaza o cebollas.
- Cinta adhesiva, ganchos para vendas o vendajes para mantener la venda en su lugar.
- Una manta para mantener caliente el cuerpo del paciente.

CONSEJO: LA LANA ES ESPECIAL PARA DAR CALOR

En lugar de utilizar una toalla como capa intermedia, puede utilizarse lana pura de oveja para dar más calor. Esta lana viene en capas y puede adquirirse en farmacias o en tiendas de hilados en lana.

Modo de preparación

- Remojar la toalla interna en el líquido elegido para la venda. Escurrirla para que no chorree. En caso de utilizar una cataplasma que no deba aplicarse en forma directa sobre la piel, utilizar una toalla cuyo tamaño sea tres veces mayor que la región que se desea cubrir con la cataplasma. Esparcir la mezcla, por ejemplo, puré de papas, granos de mostaza o cebollas en la mitad de la toalla, y dejar distancias iguales hacia la izquierda y hacia la derecha. Plegar los dos extremos de la toalla hacia el centro y colocar la venda boca abajo sobre la región afectada. La capa simple de tela entre el cuerpo y la cataplasma permitirá que penetre en la piel una cantidad suficiente de los ingredientes activos de la mezcla. Aplicar una venda de forma tal que haya un pleno contacto con el cuerpo sin separaciones ni pliegues.
- Cubrir la toalla interna con la intermedia. Colocarla en forma tirante, pero sin excederse. Luego, acomodar el paño de lana alrededor de la región del cuerpo afectada. El contacto directo de la lana con la piel algunas veces provoca irritaciones. Esta situación se evita con una toalla intermedia del tamaño suficiente como para cubrir incluso los bordes del paño de lana.
- Sujetar la venda con cinta adhesiva, ganchos para vendas o vendajes de gasa.
- Cubrir al paciente con una manta para conservar el calor.

VENDAS FRÍAS Y A TEMPERATURA CORPORAL

Las vendas frías mejoran la circulación, aumentan el flujo sanguíneo a la región afectada del cuerpo, promueven la excreción de desechos metabólicos a través de la piel y ejercen, en general, un efecto calmante. Excepto en caso de fiebre, su propósito consiste en generar calor. Transcurridos diez minutos, las vendas frías generalmente comienzan a sentirse tibias. De no ser el caso, puede utilizarse una bolsa de agua caliente o té caliente para calentar el cuerpo del paciente. Las vendas deben dejarse actuar sobre el cuerpo entre treinta minutos y una hora, hasta que la región afectada se encuentre bien caliente. Las vendas que se utilizan principalmente para calmar el dolor del paciente pueden dejarse toda la noche. Aquellas que tienen por objeto enfriar, como las vendas aplicadas para picaduras de insectos, moretones, articulaciones inflamadas o para pacientes con fiebre, deben cambiarse cada diez minutos.

La temperatura del agua deber ser aproximadamente de 17 a 22 °C.

INGREDIENTES UTILIZADOS PARA VENDAS FRÍAS

Vinagre de manzana

- Aumenta el efecto estimulante sobre el sistema vascular, alivia la picazón y ejerce un efecto refrescante.
- Para picaduras de insectos y piernas cansadas y doloridas.
  Modo de preparación: mezclar 20 cucharadas de vinagre puro de manzana y un litro de agua fría. Humedecer con este líquido la toalla interna utilizada como venda.

RECETA

Arcilla rica en minerales

- Alivia la inflamación.
- Suaviza pieles irritadas e inflamadas, y sarpullidos.
  Modo de preparación: mezclar tres cucharadas de arcilla con agua hasta obtener una mezcla firme. Refrigerar y luego aplicar una capa de medio centímetro de espesor sobre la toalla interna y colocarla boca abajo sobre la piel.

Sal

- Aumenta el efecto estimulante de la venda; permite extraer agua del cuerpo.
- Alivia la hinchazón y reduce los edemas en los tejidos; recomendada en casos de insuficiencia venosa para restaurar el tono muscular y la elasticidad de las paredes de las venas.
  Modo de preparación: batir cuatro cucharaditas de sal marina con un litro de agua fría. Utilizar este líquido para la venda.

Yogur

Utilizar yogur natural consistente, bien drenado.

- Ejerce un efecto refrescante y suavizante, humecta la piel y alivia el dolor.

- Alivia la inflamación aguda, reduce la hinchazón; adecuada para quemaduras de sol.
  Modo de preparación: colocar una capa de yogur de medio centímetro de espesor sobre la toalla interna utilizada como venda y ponerla boca abajo sobre la piel.

VENDAS TIBIAS

Cuando los poderes regenerativos del cuerpo ya no pueden estimularse mediante vendas frías, es necesario utilizar vendas tibias. Este tipo de aplicaciones siempre resulta apropiado cuando el paciente padece frío. Las vendas tibias son útiles para tratar músculos desgarrados, espasmos bronquiales y dolores de estómago provocados por infecciones gastrointestinales.
Ejercen un efecto muy relajante sobre el cuerpo. Una toalla húmeda conduce mucho mejor el calor que una bolsa de agua caliente.
La temperatura del líquido utilizado para la venda debe estar comprendida entre 40° y 45 °C. Dejar que la venda actúe entre cuarenta y cinco minutos y una hora. Si se enfría con demasiada rapidez y el paciente tiene escalofríos, la venda debe retirarse antes de este tiempo.

INGREDIENTES UTILIZADOS PARA VENDAS TIBIAS

Flores de heno

- Mejoran la circulación de la sangre y reducen los calambres.
- Recomendadas para músculos desgarrados y bronquitis crónica.
  Modo de preparación: calentar al vapor una bolsita con flores de heno.

Manzanilla

- Alivia la inflamación, promueve la curación de heridas.
- Adecuada para tratar heridas infectadas y acné.
  Modo de preparación: verter un litro de agua caliente sobre un puñado de flores de manzanilla.

Papa

- Ejerce un efecto de calor intenso; alivia el dolor.
- Adecuada para músculos desgarrados y bronquitis crónica.
  Modo de preparación: hervir las papas y pisarlas hasta obtener un puré. Colocar la mezcla en el centro de la toalla. Plegar los dos extremos hacia el centro para cubrir la mezcla. Antes de aplicar la venda boca abajo, asegurarse de que no se encuentre demasiado caliente.

Mostaza

- Aumenta el flujo sanguíneo en la piel, combate bacterias y hongos.
- Adecuada para dolores de garganta, bronquitis crónica, sinusitis y trastornos hepáticos y renales.

Modo de preparación: mojar la toalla con agua tibia. Escurrir el excedente. Colocar dos cucharadas de granos de mostaza sobre la toalla. No aplicar nunca la mostaza en forma directa sobre la piel. Dejar actuar las vendas con mostaza sobre la piel durante no más de treinta minutos. Enjuagar la región afectada. La mostaza es muy irritante y por ello, no debe utilizarse sobre pieles sensibles ni para tratar desórdenes venosos. No utilizar vendas con mostaza en niños ni en adultos demasiado enfermos que no puedan expresar si la venda se encuentra demasiado caliente.

Cebolla
- Estimula el metabolismo corporal; reduce la inflamación; desinfecta, alivia el dolor y actúa como expectorante.
- Para otitis, picaduras de insectos, resfríos, tos e infecciones urinarias.
  Modo de preparación: cortar dos o tres cebollas en rodajas. Envolverlas en una toalla del triple del tamaño de la región afectada. Colocar la venda sobre un cedazo colocado por encima de un recipiente con agua hirviendo. Dejar que el vapor caliente las cebollas. Antes de aplicar la venda, triturarlas levemente dentro de la toalla. Para aliviar la otitis, colocar rodajas frías de cebolla en una bolsa fabricada con una tela delgada y aplicar sobre la oreja afectada.

VENDAS PARA LA GARGANTA

Las vendas tibias para la garganta constituyen un tratamiento muy eficaz contra los dolores de garganta. Las vendas frías para la garganta reducen la inflamación y se utilizan para tratar la inflamación séptica de la garganta acompañada de fiebre y amigdalitis. También se recomiendan para sinusitis y resfríos.

Modo de preparación
- La toalla interna utilizada como venda para la garganta debe presentar el ancho de una mano y la longitud como para envolver dos veces el cuello.
- Para dolores de garganta, se recomienda la mostaza, así como también la mezcla de papas, las cebollas y las decocciones de hierbas.
- Las vendas frías para la garganta se preparan con agua fría y vinagre, arcilla mineral o yogur.

VENDAS PARA EL PECHO

Las vendas frías para el pecho son excelentes para todo tipo de afecciones graves del tracto respiratorio. Mejoran la circulación, actúan como expectorante en casos de bronquitis aguda y alivian la picazón de garganta. Los síntomas de astenia neurocirculatoria, que también recibe el nombre de "corazón irritable" o "corazón del soldado", como

Las vendas para el pecho incluso pueden aliviar el asma.

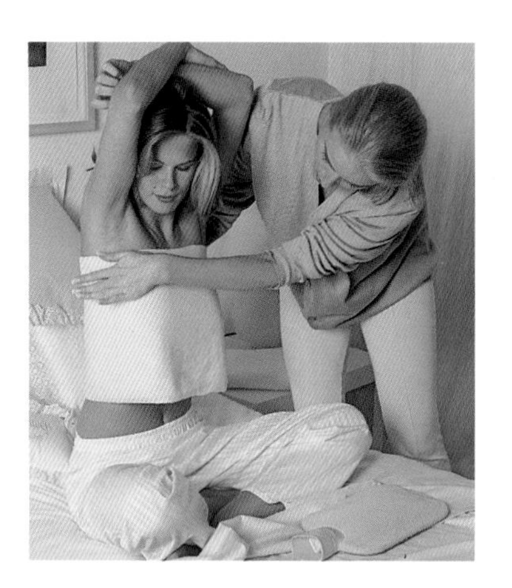

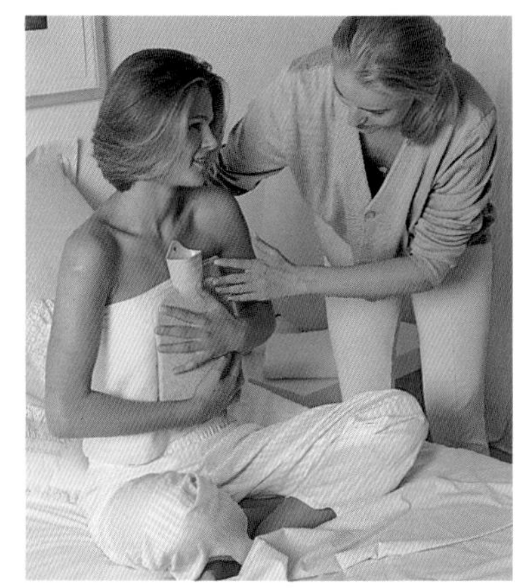

Modo de aplicación de una venda caliente para el pecho.

No se recomiendan en caso de úlcera estomacal o de duodeno.

por ejemplo la aceleración de los latidos o arritmias menores (latidos irregulares), también pueden tratarse con vendas frías en el pecho. Las vendas calientes en el pecho se utilizan principalmente para aliviar bronquitis crónica. Reducen los espasmos bronquiales y actúan como expectorante.

• ***Modo de preparación:*** Un venda para el pecho envolverá la caja torácica por completo y cubrirá la región que se extiende desde las axilas hasta el final de las costillas. Puede agregarse vinagre de manzana al agua fría y hierbas al agua tibia.

VENDAS PARA LA ZONA ABDOMINAL

Las vendas tibias para la zona abdominal proporcionan una sensación de calor placentera y relajan los órganos abdominales. Alivian los dolores abdominales, los gases y la diarrea, y se utilizan para tratar infecciones urinarias.

RECETA

• ***Modo de preparación:*** una venda para la zona abdominal cubre la región que se extiende desde la parte superior hasta la inferior del abdomen. Utilizar solo agua caliente o agregar hierbas.

VENDAS PARA LA ZONA LUMBAR

Las vendas frías aplicadas en la zona lumbar contribuyen a la función intestinal, alivian los gases abdominales y permiten tratar malestares hepáticos y de la vesícula biliar. También pueden utilizarse junto con un tratamiento médico convencional para úlceras estomacales o de duodeno.

• ***Modo de preparación:*** las vendas aplicadas en la zona lumbar cubren el área que se extiende entre el ombligo y el muslo medio. Puede agregarse sal o vinagre al agua.

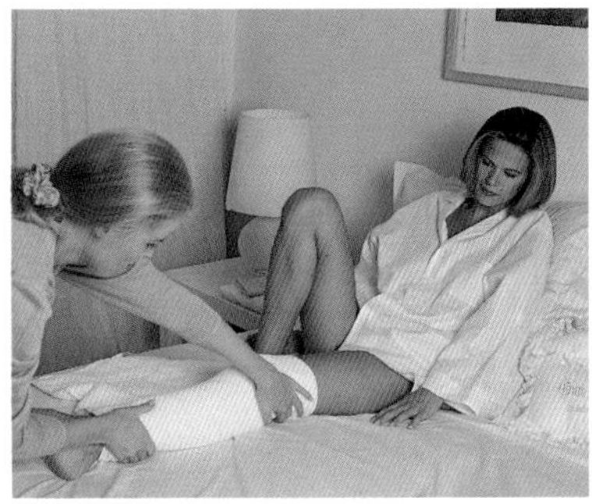

Modo de aplicación de una venda en la pantorrilla.

VENDAS PARA LAS PANTORRILLAS

Las vendas frías aplicadas en la zona de las pantorrillas reducen la fiebre, alivian la inflamación, afirman los tejidos y mejoran la circulación en piernas cansadas y doloridas. Resultan beneficiosas para aquellas personas con várices o flebitis. En las pantorrillas también regulan la circulación de la sangre, ejercen un efecto calmante y promueven el sueño.

• ***Modo de preparación:*** una venda en la zona de las pantorrillas cubre el área de la pierna que se extiende entre el hueco de la rodilla y el tobillo. En caso de utilizarla para reducir la fiebre, la venda debe cambiarse cada cinco minutos. Cuando se la utiliza para regular la función venosa y cardiovascular, las vendas en las pantorrillas pueden dejarse actuar al menos veinte minutos. Con frecuencia, se agregan vinagre y sal al agua.

VENDAS PEQUEÑAS

Al tratar malestares que afectan regiones pequeñas del cuerpo, las vendas pequeñas y las compresas son las aplicaciones elegidas. Pueden utilizarse diversas cataplasmas en combinación con vendas pequeñas para aliviar síntomas específicos. Otitis, sinusitis, dolores de cabeza, tos, bronquitis, músculos desgarrados y neuritis se encuentran entre las afecciones que pueden tratarse eficazmente con vendas pequeñas y compresas. Dado que se aplican en regiones pequeñas, estas aplicaciones son menos estimulantes que las vendas. Esto las hace más adecuadas para pacientes débiles. Las vendas pequeñas y las compresas también requieren de un período de descanso menor después de su aplicación.

• ***Modo de preparación:*** de acuerdo con el tamaño de la región afectada, pueden envolverse los ingredientes, tales como papas hervidas o cebollas, en una toalla de lino o algodón, o bien colocarlos en una bolsita de lino. Colocar la venda pequeña o compresa sobre la región afectada. Para compresas para los oídos, un pañuelo de tela resulta apropiado.

BOLSITAS CON FLORES DE HENO

Una bolsita con flores de heno alivia el dolor y los calambres, y mejora la circulación. Puede colocarse sobre la articulación dolorida o músculo desgarrado en la espalda o en el cuello. También son recomendadas para calambres abdominales, náuseas, gases, constipación y trastornos hepáticos o renales.

Elementos necesarios: una bolsita con flores de heno, una toalla, un paño de lana, agua caliente.

Modo de preparación

- Llenar un recipiente con agua y cubrir con un cedazo. Colocar la bolsita con flores de heno encima del mismo. Hacer hervir el agua y permitir que el vapor caliente la bolsita hasta que adquiera una temperatura adecuada para luego colocarla sobre la piel.
- Escurrir el exceso de humedad y acomodar la bolsita sobre la piel. Cubrir con una toalla seca y luego, agregar un paño de lana.
- Cada bolsita con flores de heno puede utilizarse solo una vez.

Su uso no se recomienda para personas que sufren fiebre del heno o que son alérgicas al heno.

COMPRESAS

Las compresas son de fácil aplicación y no requieren demasiado tiempo. Se las recomienda para tratar problemas de ligamentos, moretones, torceduras, músculos desgarrados y heridas. Un descanso después del tratamiento resulta beneficioso, pero no es absolutamente necesario.

Elementos necesarios: una toalla de mano pequeña, una toalla de mayor tamaño, hierbas.

Modo de preparación: mojar la toalla de mano con agua fría o agua tibia, en caso de tratar un músculo desgarrado, y luego escurrirla. Plegar la toalla y colocarla sobre la región dolorida. Cubrir con la toalla de mayor tamaño. Pueden agregarse diversas hierbas, como manzanilla, al agua.

BAÑOS, AFUSIONES Y LAVADOS

Además de promover la relajación, las aplicaciones con agua proporcionan estímulos que mejoran la circulación de la sangre y el estado general de salud. Como el bienestar emocional y el sistema inmunológico se encuentran muy relacionados, uno de los beneficios de las aplicaciones con agua consiste en mejorar la función inmunológica.

TEMPERATURA

Los estímulos proporcionados por las diversas temperaturas del agua constituyen el aspecto más importante de la hidroterapia de Kneipp. Además de las vendas, esta terapia incluye baños y otras dos aplicaciones desarrolladas por Kneipp: los lavados y las afusiones.

- Las aplicaciones con **agua fría** mejoran la circulación de la sangre y no solo son relajantes sino también refrescantes. Son apropiadas si el paciente no es friolento. Después del tratamiento, el cuerpo necesita calor de inmediato, ya sea con ayuda de ejercicio o descanso en una cama caliente.
- Las aplicaciones con **agua tibia**, tales como los baños tibios, una serie de baños de temperatura en aumento o vendas calientes, mejoran la circulación de la sangre, aceleran el metabolismo corporal, relajan los músculos tensos y mejoran la función inmunológica local. Si el dolor empeora, las aplicaciones con agua tibia no han sido una buena opción. Tampoco son recomendadas para personas que sufren de várices, edemas linfáticos o flujo sanguíneo irregular en las arterias.
- Alternar baños **fríos** y **calientes** ejerce el mayor efecto sobre el cuerpo. Como regla general, cuanto mayor es el tiempo de inmersión del cuerpo en agua fría y menor es la temperatura del agua, mayores son los beneficios sobre el sistema inmunológico y sobre todo el organismo.

Es necesario tener cuidado si se sufre de várices, edemas linfáticos o mala circulación de la sangre en las arterias.

INGREDIENTES PARA BAÑOS Y LAVADOS

Las aplicaciones con agua fría se efectúan con frecuencia sin agregar ingrediente alguno al agua. Sin embargo, cuando se desea obtener un efecto astringente o antibacteriano, o cuando el propósito de un lavado o baño consiste en reducir la hinchazón o la picazón, se puede agregar vinagre de manzana al agua fría. Para todas las aplicaciones con agua tibia, se recomienda agregar aceites esenciales o hierbas tales como árnica, valeriana, té verde, flores de heno, manzanilla, lavanda, melisa o romero. Consultar las secciones correspondientes. Estos ingredientes mejoran la profilaxis o efecto curativo del tratamiento.

El termómetro ayuda a tener una idea de la temperatura adecuada para el agua.

BAÑOS

• Baños de inmersión

Un baño frío de este tipo previene resfríos y mejora el estado de ánimo general del paciente. También estimula y mejora la circulación de la sangre. Se recomienda permanecer en la bañera durante diez minutos y luego, hacer ejercicio o descansar en una cama caliente.

Por otro lado, un baño tibio para todo el cuerpo es relajante y reduce el dolor. Se recomienda para músculos desgarrados, cuellos tensos y diversos síntomas asociados con la osteoartritis, la lumbalgia, el reumatismo y la gota. Al primer signo de resfrío, tomar un baño de agua tibia (aproximadamente a 40 °C) de hasta veinte minutos.

En pacientes con problemas circulatorios, para quienes un baño tibio sería demasiado estimulante, se recomienda alternar aplicaciones de agua tibia y fría. Tomar simplemente una ducha de agua fría después de un baño de agua tibia o, en caso de ser muy sensible, efectuar una afusión de rodillas o brazos con agua fría.

Para el cuerpo y el alma.

BAÑOS DE BRAZOS

Es importante adquirir una posición cómoda al efectuar baños de brazos.

Se requiere un lavabo o palangana pequeña para sumergir los brazos.

Se recomienda para trastornos cardiovasculares y manos frías.

Consultar al médico si este tipo de aplicación resulta adecuada.

Para este tipo de baño, sentarse frente al lavabo o bien emplear una palangana especialmente diseñada para baños de brazos. El agua debe cubrir el antebrazo y la mitad superior del brazo. Apoyar los codos en el fondo del lavabo o palangana. Los baños fríos de brazos ayudan a liberarse del cansancio, son refrescantes, mejoran la circulación de la sangre y ejercen un efecto calmante.

• ***Instrucciones:*** sumergir los brazos durante medio minuto luego retirar el agua con las manos. Balancear los brazos suavemente hacia adelante y atrás durante dos minutos.

Los pacientes con problemas cardiovasculares obtienen grandes beneficios de los baños de brazos alternados con agua fría y tibia. Estos baños reducen la presión arterial, mejoran la función cardiovascular y la respiración y ayudan a aliviar la rigidez del pecho y la osteoartritis en las articulaciones de los dedos. Alternar baños fríos y tibios ayuda, además, a calentar manos frías. Para este tipo de aplicación, es necesario utilizar dos lavabos o palanganas pequeñas, una con agua fría y otra, con agua tibia (entre 35° y 38 °C).

• ***Instrucciones:*** sumergir primero los brazos en agua tibia durante cinco minutos y luego en agua fría, entre quince y treinta minutos. Repetir el tratamiento una vez más.

BAÑOS DE PIES

Para un baño de pies, es necesario utilizar un balde o una palangana para pies de Kneipp llena con la suficiente cantidad de agua como para cubrir las piernas hasta la altura de las rodillas.

Los baños fríos de pies se recomiendan en caso de que existan dificultades para dormir. También ayudan a tratar diversos malestares en las piernas, tales como la pérdida de tono muscular en las paredes de las venas, piernas agotadas después de haber permanecido sentado durante mucho tiempo o después de largas caminatas o moretones en tobillos o pies.

• ***Instrucciones:*** sumergir las piernas durante un minuto luego, retirar el agua con las manos. Secar la planta de los pies y colocarse un par de medias de algodón. Descansar.

• ***Instrucciones:*** las piernas permanecen sumergidas en agua durante cinco minutos (en caso de várices, el agua solo debe llegar hasta los tobillos y no presentar una temperatura mayor a los 33 °C)

Alternar baños tibios y fríos de pies estabiliza la función circulatoria, entrena al cuerpo para que pueda adaptarse a los cambios de temperatura, permite obtener beneficios ante los primeros signos de un resfrío, alivia dolores de cabeza y promueve el sueño. Si se sufre de várices o úlceras en la parte inferior de las piernas que no se encuentran infectadas, es posible utilizar este tipo de aplicación siempre y cuando la temperatura del agua no exceda los 33 °C. Para estar seguro, es conveniente consultar primero al médico. La forma más sencilla de alternar baños fríos y tibios de pies consiste en colocar dos baldes en la bañera; un balde con agua fría y otro con agua tibia a aproximadamente 37 °C (en caso de várices, al agua debe llegar solo hasta los tobillos y no exceder los 33 °C).

• ***Instrucciones:*** sentarse en el borde de la bañera y sumergir primero las piernas en agua tibia durante cinco minutos y después, en agua fría durante veinte minutos. Repetir el tratamiento una vez más. En lugar de utilizar un balde con agua fría, usar un duchador para enjuagar las piernas con agua fría.

No es recomendable para pacientes con várices, ya sean superficiales o profundas.

EJERCICIOS ACUÁTICOS

Los ejercicios acuáticos son refrescantes, mejoran la circulación de la sangre, regulan la temperatura corporal, calman el sistema nervioso, reducen la susceptibilidad a resfríos e infecciones y fortalecen las paredes de las venas en las piernas. Los ejercicios acuáticos también alivian el estrés. En caso de ser hipersensible a los cambios atmosféricos y sufrir confusión, agotamiento o una sensación de presión en la cabeza como consecuencia de este estado, un tipo de aplicación tal puede resultar conveniente. Aquellas personas que realizan ejercicios en el agua por la noche tienen un mejor sueño. Los ejercicios acuáticos pueden efectuarse en la bañera de su casa. También es posible caminar sobre césped húmedo o nieve imitando a una cigüeña.

★ ***Importante:*** siempre es necesario asegurarse de que las piernas se encuentren calientes antes de comenzar los ejercicios acuáticos. Esta aplicación no es recomendable para personas con infecciones urinarias, mala circulación de la sangre o calambres en las piernas.

• ***Instrucciones:*** llenar la bañera con agua fría. Al igual que una cigüeña (es decir, levantando cada pierna fuera del agua con cada paso), caminar por el agua entre treinta segundos y un minuto. Retirar el agua con las manos, colocarse un par de medias largas de algodón y caminar por una habitación cálida hasta que los pies se calienten, o bien entibiarlos de inmediato en la cama.

AFUSIONES

Alternar afusiones tibias y frías mejora la función cardiovascular, la capacidad del cuerpo de adaptarse a los cambios de temperatura y la respiración. Para lograr una afusión eficaz, el flujo de agua debe formar una cortina sólida que envuelva delicadamente el miembro o la parte del cuerpo afectada. Una gran cantidad de duchadores cuentan con accesorios especiales para este procedimiento. Cada afusión debe efectuarse con agua fría, tibia, alternando agua fría y tibia, o con agua caliente. Debe extenderse entre un minuto y medio a cuatro minutos, de acuerdo con la región de aplicación y la sensibilidad del paciente. Como regla general, el agua debe aplicarse desde el exterior hacia el centro del cuerpo. Los pacientes de edad avanzada, que sufren de mala circulación de la sangre o poseen un sistema nervioso sensible, siempre deben descansar durante quince minutos después de cada afusión en grandes partes del cuerpo.

AFUSIONES FACIALES

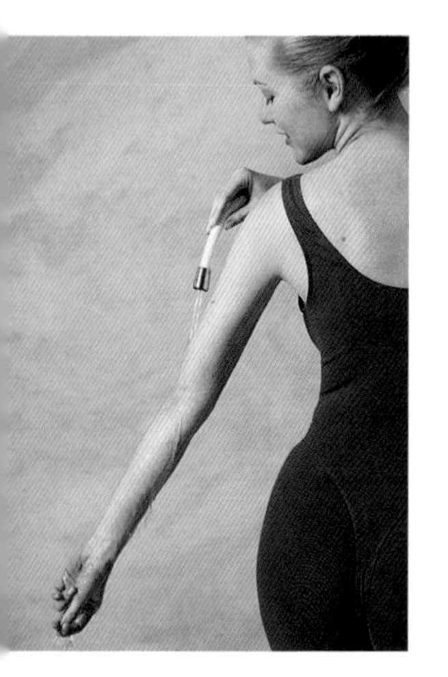

El chorro de agua debe formar una cortina que envuelva.

En tiendas de artículos ortopédicos se consiguen accesorios especiales para duchadores.

Una afusión en las rodillas puede extenderse hasta los muslos y la región inferior del abdomen.

Las afusiones frías faciales son mental y físicamente refrescantes, mejoran la respiración y la circulación de la sangre en la piel, y ayudan a tratar diversos malestares que afectan la cabeza, tales como los dolores de cabeza, las migrañas, los mareos, el vértigo o el deterioro de la visión o la audición. Alternar afusiones frías y tibias también presenta grandes beneficios. Utilizar primero agua tibia durante quince segundos y luego, agua fría durante cinco segundos. Repetir el tratamiento.
• ***Instrucciones:*** comenzando por la frente y desplazándose en el sentido de las agujas del reloj, verter un chorro delicado de agua por encima del rostro. Respirar por la boca. No contener la respiración.

AFUSIONES EN LOS BRAZOS

Las afusiones frías en los brazos son refrescantes, provocan una respiración más profunda y mejoran la circulación. Asimismo, aumentan la fuerza de los latidos del corazón, lo cual es muy bueno.
Alternar afusiones frías y tibias normaliza la presión arterial baja y ejerce un efecto estimulante y refrescante en casos de agotamiento o falta de concentración. Alternar treinta segundos de agua tibia con quince segundos de agua fría. Repetir el tratamiento una o dos veces más.
• ***Instrucciones:*** comenzar por la parte trasera de la mano derecha y desplazar el chorro de agua hacia arriba hasta alcanzar el hombro. Mantenerlo unos minutos en el lugar y luego, desplazarlo hacia abajo a lo largo de la cara interna del brazo. Repetir sobre el brazo izquierdo.

AFUSIONES EN LAS RODILLAS

Las afusiones frías en las rodillas ejercen un efecto calmante y se utilizan para tratar el insomnio. Fortalecen los vasos sanguíneos y alivian pies y piernas tensos y doloridos. Alternar afusiones frías y tibias en las rodillas es necesario principalmente para tratar artritis en esta parte del cuerpo. La parte inferior de las piernas se trata primero con agua tibia durante medio minuto y luego, con agua fría durante diez segundos. Repetir el tratamiento una vez más.

• ***Instrucciones:*** comenzar con el pie derecho. Desplazar el chorro de agua hacia delante y hacia atrás por la planta del pie, desde el talón hasta los dedos, dos o tres veces; después, a lo largo de la parte inferior de la pierna hasta un poco más arriba de la rodilla. Mantener el chorro de agua por unos instantes en ese lugar y luego desplazarlo hacia abajo a lo largo de la cara interna de la pierna hasta el talón. Repetir con el pie izquierdo.

AFUSIONES EN LOS MUSLOS

Cuando una afusión en la rodilla se extiende hacia arriba hasta las nalgas, se convierte en una afusión para muslos. Este tipo de aplicación tiene como fin tratar malestares que afectan muslos, caderas y nalgas, tales como la osteoartritis de las articulaciones de las caderas, la ciática o el reumatismo que afecta los músculos.

AFUSIONES ABDOMINALES

Una afusión en los muslos que continúa hacia arriba en dirección a la base de la caja torácica se denomina afusión abdominal. Afecta todo el organismo ya que relaja el cuerpo, mejora la función metabólica y la digestión. Las afusiones abdominales alivian constipación leve, distensión abdominal crónica, gastritis, úlceras estomacales, síndrome de irritación del colon y dolor y calambres generales en el abdomen o los músculos de la parte inferior de la espalda. También se utilizan para desórdenes que afectan el útero, los riñones y la vejiga.

AFUSIONES EN LA ESPALDA

Se recomienda alternar afusiones frías y tibias en la espalda para malestares que afectan la columna vertebral. Alivian el dolor provocado por discos dañados o músculos desgarrados. Si se sufre de algún desorden vertebral, es necesario tener cuidado con el agua fría. Las afusiones tibias son, en general, más convenientes para tales estados.

• ***Instrucciones:*** comenzar con el pie derecho y desplazar el chorro de agua hasta llegar a las nalgas. Desplazar hacia abajo a lo largo de la cara interna de la pierna y repetir el procedimiento con la pierna izquierda. Luego, desplazar el chorro de agua por el brazo, desde la mano derecha hasta el omóplato. Permanecer allí unos segundos y luego bajar por la espalda hasta las nalgas. Repetir con el izquierdo.

Debe comenzar siempre por el lado derecho y luego continuar con el izquierdo.

AFUSIONES DE CUERPO COMPLETO

Cuando una afusión en la espalda se extiende hasta llegar al pecho y el estómago, se convierte en una afusión de cuerpo completo. Se aconseja efectuar esta aplicación alternando agua fría y tibia. Utilizar agua tibia durante un minuto y después, cambiar a agua fría durante veinte segundos. Repetir una vez el tratamiento. También es posible efectuar una afusión tibia de cuerpo completo seguida de una afusión fría en las rodillas.

Alternar afusiones de agua tibia y fría resulta más eficaz.

• ***Instrucciones:*** desplazar el chorro de agua a lo largo de la cara exterior de la pierna derecha, desde el pie hasta la cadera. Permanecer allí unos segundos y mover el chorro de atrás hacia delante entre las nalgas y la ingle para que el agua se expanda sobre toda la pierna. Hacer lo mismo con el lado izquierdo. Luego, llevar el chorro de agua a los brazos. Comenzar por la mano derecha y desplazar el chorro hacia arriba a lo largo del brazo hasta llegar al hombro. Permanecer allí unos segundos y dejar que el agua fluya por encima del pecho y la espalda. Repetir con el lado izquierdo.

LAVADOS

Esta aplicación es adecuada incluso para pacientes débiles.

Los lavados periódicos son en especial eficaces para fortalecer el sistema inmunológico del cuerpo y mejorar la circulación de la sangre. Cuando se limitan a zonas específicas del cuerpo, proporcionan solo estímulos leves, lo que los convierte en una aplicación muy adecuada incluso para pacientes que se hayan debilitado por alguna enfermedad grave. Un lavado completo o localizado por la mañana permite comenzar bien el día y puede utilizarse para complementar la actividad física matutina. En caso de despertarse en la mitad de la noche y no poder conciliar el sueño nuevamente, un lavado localizado puede ser de gran ayuda. Debe efectuarse con rapidez y el agua debe caer en forma irregular por todo el cuerpo. Esto es más importante que mover el mitón de toalla por todo el cuerpo tal como se describe.

Elementos necesarios

Un mitón de toalla, vinagre de manzana o sal, si se desea.

Instrucciones

- Mojar el mitón de toalla con agua fría (12° a 16 °C). Escurrir el excedente de agua. En caso de ser sensible a bajas temperaturas, es conveniente comenzar con agua a 20 °C y disminuir la temperatura en forma gradual con cada baño subsiguiente. En niños pequeños, lavar solo los brazos utilizando temperaturas del agua comprendidas entre 30° y 35 °C. Aplicar incluso una cierta presión a medida que se lavan las diferentes zonas del cuerpo.
- No secar por completo el cuerpo después del lavado. Colocarse el pijama y descansar en una cama caliente hasta que el cuerpo se encuentre lo suficientemente tibio.
- Para aumentar los estímulos proporcionados por el agua, agregar vinagre de manzana o sal. Utilizar aproximadamente una parte de vinagre

para dos partes de agua, o dos cucharaditas de sal marina por cada litro de agua (dejar que la sal se disuelva antes de comenzar con el lavado).

LAVADO DE LA PARTE SUPERIOR DEL CUERPO

Se recomienda una serie de lavados al primer signo de resfrío. Su propósito consiste en hacer transpirar al paciente. En intervalos de veinte a treinta minutos, repetir varias veces el siguiente procedimiento. Lavar la parte superior del cuerpo y luego calentarse de inmediato en la cama. Como beneficio adicional, los lavados en serie son una forma rápida y eficaz de ayudar al cuerpo a liberarse de toxinas. Si se desea mejorar la resistencia del cuerpo a infecciones, es conveniente efectuar baños de la parte superior del cuerpo a diario, a la hora de acostarse, durante algunas semanas en otoño.

En caso de resfríos que afectan las vías superiores y para reducir la susceptibilidad a infecciones.

• ***Instrucciones:*** lavar primero el brazo derecho, luego el cuello, el pecho, el estómago, después el brazo izquierdo y por último, la espalda.

LAVADOS DEL ABDOMEN Y LAS PIERNAS

Los lavados con agua fría de las piernas o del cuerpo por debajo de la cintura ejercen un efecto calmante, lo que los convierte en un tratamiento ideal para el insomnio. Después de haber lavado y calentado el cuerpo, es conveniente un descanso profundo inmediato. Este tipo de aplicaciones también resulta beneficioso para aquellos que sufren de mala circulación por las mañanas, para aquellos que sufren de várices, pies fríos o constipación, o cuyo sistema nervioso se encuentre sobreestimulado.

Esta aplicación ayuda a conciliar el sueño.

• ***Instrucciones:*** comenzar por el empeine del pie derecho. Continuar a lo largo de la cara exterior de la pierna hasta llegar a la pelvis y luego, lavar la parte frontal de la pierna hasta llegar al pie. Volver a pasar por la cara interna de la pierna hasta llegar a la ingle. Repetir con la pierna izquierda. Luego, lavar las nalgas y la zona abdominal con movimientos circulares, en el sentido de las agujas del reloj.

LAVADOS DE CUERPO COMPLETO

Al efectuar este tipo de lavado, la velocidad es esencial para que el cuerpo pueda volver a calentarse con la mayor rapidez posible.

• ***Instrucciones:*** comenzar por la parte posterior de la mano derecha. Lavar la cara exterior del brazo hasta llegar al hombro; luego, hacia abajo a lo largo de la cara interna del brazo. Hacer lo mismo con el brazo izquierdo. Después, lavar el pecho con movimientos horizontales y luego el abdomen con movimientos verticales. Continuar a lo largo de la cara exterior de la pierna derecha en dirección al pie y volver por la cara interna de la pierna hasta llegar a la ingle. Repetir con el lado izquierdo. Por último, lavar desde la nuca hasta las nalgas.

REMEDIOS EFICACES PARA MALESTARES ESPECÍFICOS

SÍNTOMAS	REMEDIO	APLICACIÓN
• Estado general de salud	Vinagre de manzana	Refresco de vinagre de manzana y miel
Agotamiento físico y mental durante o después de períodos de esfuerzos excesivos, enfermedad, exposición a toxinas del medio ambiente o radiación, debilidad general y vigor reducido, fatiga estacional	Equinácea	Tratamiento con tintura
	Ajo	Ingerir ajo o algún suplemento de ajo
	Ginseng	Ingerir polvo o cápsulas
	Té verde	Beber en forma periódica
	Miel	Tratamiento con miel sola
	Hidroterapia	Baños fríos o tibios
	Ortiga	Tratamiento con jugo de ortiga
• Alergias		
Generales	Neguilla	Ingerir aceite o perlas de aceite
	Miel	Tratamiento con miel sola
Asma alérgico	Neguilla	Ingerir aceite o perlas, inhalaciones
	Vendas para pecho	Vendas frías, con vinagre de manzana
	Miel	Tratamiento con miel sola
Fiebre del heno	Neguilla	Ingerir aceite o perlas; inhalaciones
• Vasos sanguíneos		
Arteriosclerosis	Ajo	Ingerir ajo fresco o algún suplemento
	Ginseng	Ingerir polvo o cápsulas
	Té verde	Beber en forma periódica
	Kéfir/Kombucha	Beber a diario
	Muérdago	Tratamiento con té de muérdago
	Chucrut	Ingerir en forma periódica
Problemas circulatorios	Ajo	Ingerir ajo fresco o algún suplemento
	Ginkgo	Ingerir algún suplemento de ginkgo
	Vino	Beber periodicamente como profiláctico
	Vendas	Vendas frías con vinagre de manzana
Hemorroides	Vinagre de manzana	Baño de asiento con agua tibia
Várices	Vinagre de manzana	Vendas frías, baños de pies, lavados
	Hidroterapia	Afusiones frías, lavados
	Vendas	Vendas frías con vinagre de manzana, yogur o sal
Flebitis	Vendas pantorrillas	Vendas frías con vinagre de manzana o yogur
	Hidroterapia	Afusiones frías, lavados
• Cáncer		
Junto con el tratamiento convencional	Ginseng	Ingerir polvo o extracto
	Muérdago	Solo administrado por un médico
Prevención	Ginseng	Tratamiento con polvo o extracto
	Té verde	Beber en forma periódica
	Chucrut	Ingerir en forma periódica para prevenir cáncer de duodeno

REMEDIOS EFICACES PARA MALESTARES ESPECÍFICOS

SÍNTOMAS	REMEDIO	APLICACIÓN
• Trastornos cardiovasculares	Ajo	Ingerir ajo fresco o algún suplemento de ajo
Presión arterial elevada	Miel	Ingerir en forma periódica, sola o disuelta en agua
	Muérdago	Tratamiento con té de muérdago
Presión arterial baja	Baños de brazos	Alternar baños fríos y tibios, con aceites esenciales
Problemas circulatorios	Vendas pantorrillas	Vendas frías, con vinagre de manzana
	Ginseng	Ingerir polvo o extracto
	Lavanda	Baños
	Agua	Baños, afusiones, lavados con agua fría
Insuficiencia de miocardio	Espino	Beber té de espino o ingerir algún suplemento
(función cardíaca disminuida)	Miel	Ingerir en forma periódica, sola o disuelta en té
	Espino	Té de mezclas de hierbas
Astenia neurocirculatoria	Miel	Ingerir miel sola o disuelta en té
("corazón irritable")	Muérdago	Tratamiento con té de muérdago
• Afecciones infantiles		
Incontinencia urinaria nocturna	Hierba de San Juan	Beber té y efectuar masajes con aceite en el abdomen y la cara interna de los muslos
Bajo rendimiento intelectual	Miel	Tratamiento con miel sola o disuelta en té
Falta de concentración, hiperactividad	Miel	Tratamiento con miel sola o disuelta en té
Dolores de estómago	Manzanilla	Beber té, vendas tibias en el estómago
	Hierba de San Juan	Vendas tibias en el estómago; masajes en la zona de estómago con aceite; beber té
	Vendas en el estómago	Vendas tibias, con flores de heno, manzanilla, o hierba de San Juan
Dentición	Manzanilla	Dejar que los gránulos se disuelvan en la boca
• Oídos		
Otitis	Vendas	Con cebollas
Zumbido en los oídos	Ginkgo	Ingerir suplemento de ginkgo
	Hidroterapia	Afusiones faciales con agua fría
Ojos		
Conjuntivitis	Equinácea	Ingerir tintura; aplicar vendas pequeñas con mezcla de equinácea o ungüento
Orzuelos	Equinácea	Ingerir tintura; aplicar vendas pequeñas con mezcla de equinácea o ungüento

REMEDIOS EFICACES PARA MALESTARES ESPECÍFICOS

SÍNTOMAS	REMEDIO	APLICACIÓN
• Desórdenes gastrointestinales		
Gases abdominales	Vinagre de manzana	Refresco de vinagre de manzana y miel
	Neguilla	Ingerir aceite de semillas o perlas de aceite; beber té preparado con semillas
	Manzanilla	Beber té
	Ajo	Ingerir ajo fresco o algún suplemento
	Lavanda	Beber té
	Cebolla	Ingerir cebolla fresca o jarabe de cebolla
	Hierba de San Juan	Beber té
	Vendas	Vendas tibias, con manzanilla o hierba de San Juan
Constipación		
	Vendas abdominales	Vendas tibias con vinagre de manzana, manzanilla, papa o hierba de San Juan
	Vinagre de manzana	Vendas tibias en el estómago, refresco de vinagre de manzana y miel
	Neguilla	Ingerir aceite de semillas o perlas de aceite; beber té de semillas de neguilla, vendas abdominales
	Miel	Ingerir miel sola o con té laxante
	Hidroterapia	Afusiones frías, lavados
	Cebolla	Ingerir cebolla fresca o jarabe de cebolla
	Chucrut	Beber jugo de chucrut; ingerir chucrut
Diarrea general	Vendas en el estómago	Vendas tibias con vinagre de manzana, manzanilla, papa, hierba de San Juan
	Vinagre de manzana	Ingerir diluida en agua mineral sin gas
	Neguilla	Ingerir aceite de semillas o perlas de aceite; beber té de semillas de comino
	Té verde	Beber té verde
	Hierba de San Juan	Beber té; vendas con aceite
	Vendas	Vendas tibias con manzanilla, papa o hierba de San Juan
Diarrea provocada por bacterias	Ajo	Ingerir ajo en altas dosis
	Miel	Ingerir sola
	Vendas	Vendas tibias, con manzanilla, papa o hierba de San Juan
Trastornos de la vesícula biliar	Aceites vegetales	Ingerir aceite de oliva o cualquier otro aceite vegetal prensado en frío
Gastritis	Manzanilla	Beber té, tratamiento “de rotación”
	Hierba de San Juan	Ingerir té o aceite; vendas pequeñas tibias
	Aceites vegetales	Ingerir aceite de oliva o cualquier otro aceite vegetal nutritivo

REMEDIOS EFICACES PARA MALESTARES ESPECÍFICOS

SÍNTOMAS	REMEDIO	APLICACIÓN
• Desórdenes gastrointestinales (continuación)		
Síndrome de irritación del intestino, indigestión nerviosa	Manzanilla	Beber té
	Ajo	Ingerir fresco, en polvo o en comprimidos
	Té verde	Beber en forma periódica en lugar de café
	Miel	Ingerir sola o disuelta en un té digestivo
	Kéfir/Kombucha	Beber a diario
	Lavanda	Beber té
	Chucrut	Beber jugo de crucrut o repollo
	Vendas	Vendas tibias, con manzanilla, papa o hierba de San Juan
Pérdida del apetito	Té verde	Beber antes de las comidas
	Miel	Ingerir sola
	Cebolla	Ingerir cruda o beber jarabe de cebolla
Náuseas, vómitos	Neguilla	Ingerir semillas, aceite o perlas de aceite; beber té de semillas de neguilla
	Manzanilla	Beber té
	Vendas pequeñas	Tibias, con flores de heno
	Hierba de San Juan	Ingerir aceite o beber té
Dolores de estómago	Manzanilla	Beber té; vendas tibias en el estómago
	Vendas pequeñas	Tibias, con flores de heno
	Hierba de San Juan	Vendas pequeñas en estómago, masajes con aceite; té
• Infecciones y trastornos del sistema inmunológico		
Bronquitis	Vinagre de manzana	Inhalaciones; vendas frías o tibias en el pecho; beber con miel
	Baños de brazos	Temperatura en aumento; agregar aceites esenciales al agua
	Neguilla	Ingerir aceite o perlas; inhalaciones con semillas o aceite
	Manzanilla	Beber té; inhalaciones
	Vendas en pecho	Vendas frías, con vinagre de manzana o yogur; vendas tibias, con manzanilla, granos de mostaza, cebolla o papa
	Equinácea	Ingerir tintura
	Ajo	Ingerir jugo de ajo
	Té verde	Beber; inhalaciones
	Miel	Tratamiento con miel sola o disuelta para los bronquios
	Cebolla	Inhalaciones; ingerir cruda o beber jarabe de cebolla
Resfríos, gripe	Vinagre de manzana	Inhalaciones; beber con miel
	Neguilla	Ingerir aceite o perlas de aceite
	Manzanilla	Beber té; inhalaciones
	Equinácea	Beber té o ingerir tintura
	Té verde	Beber; inhalaciones
	Miel	Ingerir sola o disuelta en un té para el resfrío

REMEDIOS EFICACES PARA MALESTARES ESPECÍFICOS

SÍNTOMAS	REMEDIO	APLICACIÓN
• Infecciones y trastornos del sistema inmunológico (continuación)		
Tos	Vinagre de manzana	Inhalaciones; beber con miel
	Baños de brazos	Con aumento progresivo de temperatura, con agregado de aceite esencial
	Manzanilla	Beber té; inhalaciones
	Vendas en el pecho	Vendas frías, con vinagre de manzana; tibias, con cera de abejas, bálsamo para el pecho o papa
	Equinácea	Beber té o ingerir tintura
	Ajo	Ingerir jugo de ajo
	Cebolla	Beber leche de cebolla caliente
Fiebre	Vendar pantorrillas	Vendas frías
	Baños de pies	Contra escalofríos, con aumento progresivo de temperatura
	Lavados	Con agua fría
Inmunodeficiencia	Aloe vera	Tratamiento con jugo de aloe vera
	Vinagre de manzana	Vendas frías; lavados; refresco de vinagre de manzana y miel
	Neguilla	Ingerir aceite o perlas de aceite
	Vendas en el pecho	Vendas tibias con vinagre de manzana o sal
	Equinácea	Tratamiento con tintura de equinácea
	Baños de pies	Con aumento progresivo de temperatura
	Ginseng	Tratamiento con polvo o extracto
	Té verde	Beber en forma periódica
	Miel	Tratamiento con miel sola
	Lavados	Con agua fresca y aceites esenciales
Herpes	Equinácea	Vendas con equinácea o tintura diluida; ingerir tintura
	Vendas pequeñas	Con hojas de repollo
	Hierba de San Juan	Masajear con aceite; beber té o ingerir algún suplemento de hierba de San Juan
	Vinagre de manzana	Inhalaciones; vendas húmedas y calientes en la garganta; refresco de vinagre de manzana y miel
Dolores de garganta	Manzanilla	Gárgaras con té
	Equinácea	Gárgaras con tintura diluida
	Té verde	Gárgaras con té fuerte
	Miel	Ingerir sola o beber disuelta en té, leche o limón
	Vendas en la garganta	Tibias o frías, con vinagre de manzana, yogur o granos de mostaza
• Riñones y vejiga		
Irritación de la vejiga	Aceites vegetales	Ingerir aceite de zapallo en forma periódica
	Ortiga	Beber té
Cálculos renales pequeños	Vinagre de manzana	Refresco de vinagre de manzana y miel

REMEDIOS EFICACES PARA MALESTARES ESPECÍFICOS

SÍNTOMAS	REMEDIO	APLICACIÓN
• Riñones y vejiga (continuación)		
Infecciones urinarias	Equinácea	Ingerir tintura
	Miel	Ingerir sola o disuelta en té
	Cebolla	Vendas pequeñas tibias con cebolla
	Ortiga	Beber té
• Afecciones masculinas		
Agrandamiento de próstata	Ortiga	Ingerir tintura de ortiga o algún suplemento
Impotencia	Aceites vegetales	Ingerir aceite de zapallo en forma periódica
	Ginseng	Tratamiento con polvo o extracto
• Metabolismo		
Sobrepeso	Vinagre de manzana	Tratamiento con refresco de vinagre de manzana y miel
	Chucrut	Tratamiento con chucrut
Desintoxicación	Vinagre de manzana	Tratamiento con refresco de vinagre de manzana y miel
	Té verde	Beber en forma periódica en lugar de café o té negro
	Miel	Ingerir sola o disuelta en té
	Kéfir/Kombucha	Beber a diario
Niveles elevados de lípidos en sangre	Onagra	Ingerir perlas de aceite de onagra
	Ajo	Ingerir fresco o algún suplemento
	Ginseng	Ingerir polvo o extracto
	Aceites vegetales	Utilizar aceites vegetales prensados en frío
	Vino	Beber en forma periódica como prevención
• Boca y dentadura		
Mal aliento	Vinagre de manzana	Gárgaras con vinagre de manzana diluida
	Té verde	Enjuagues y gárgaras con té
Caries	Té verde	Enjuagues; beber té como prevención
Herpe labial	Equinácea	Aplicar ungüento; masajear con tintura
	Hierba de San Juan	Masajear la región afectada con aceite
Gingivitis o inflamación de las membranas mucosas de la boca	Vinagre de manzana	Enjuagues bucales, aplicar en las encías
	Caléndula	Enjuagues o gárgaras con té
	Manzanilla	Enjuagues con té fuerte
	Equinácea	Gárgaras con tintura diluida
	Té verde	Enjuagues con té fuerte
• Sistema nervioso y cerebro		
Mal de Alzheimer	Ginkgo	Ingerir suplemento de ginkgo
Depresión	Ginseng	Ingerir polvo o extracto
	Hidroterapia	Baños, afusiones o lavados con agua fría
	Vendas pequeñas	Vendas tibias con flores de heno
	Hierba de San Juan	Beber té o ingerir algún suplemento
	Ginkgo	Ingerir suplemento de ginkgo
Mareos	Hidroterapia	Afusión facial fría

REMEDIOS EFICACES PARA MALESTARES ESPECÍFICOS

SÍNTOMAS	REMEDIO	APLICACIÓN
• Sistema nervioso y cerebro (continuación)		
Dolores de cabeza, migrañas	Vinagre de manzana	Refresco de vinagre de manzana y miel; compresas frías en la frente
	Baños de brazos	Baños tibios, con aceites esenciales
	Compresas, vendas pequeñas	Frías, con yogur; tibias con vinagre de manzana, aceite esencial o papa
	Baños de pies	Con aumento progresivo de temperatura
	Ajo	Ingerir fresco o algún suplemento
	Hidroterapia	Afusión facial fría
Insomnio	Vendas en las pantorrillas	Frías o tibias, con vinagre de manzana, manzanilla, lavanda o hierba de San Juan
	Ajo	Ingerir fresco, polvo de ajo o comprimidos
	Miel	Disolver en té para insomnio
	Hidroterapia	Baños fríos, tibios o alternados, lavados con agua fría
	Lavanda	Beber té; baños; bolsitas con hierbas
	Vendas pequeñas	Vendas tibias con flores de heno
	Hierba de San Juan	Beber té o ingerir algún suplemento
Pérdida de la memoria	Ginkgo	Ingerir un suplemento de ginkgo
	Miel	Ingerir sola o disuelta en té
Agotamiento mental	Ginseng	Ingerir polvo o extracto de ginseng
	Miel	Ingerir sola o algún suplemento
	Hidroterapia	Baños, afusiones o lavados con agua fría
	Hierba de San Juan	Beber té o ingerir algún suplemento
Nerviosismo	Ajo	Ingerir fresco o algún suplemento
	Miel	Ingerir sola o disuelta en algún té calmante; vendas abdominales
	Lavanda	Beber té; baños
	Vendas pequeñas	Vendas tibias con flores de heno
	Hierba de San Juan	Beber té o ingerir algún suplemento
Neuralgia	Vendas pequeñas	Vendas tibias con flores de heno
	Hierba de San Juan	Beber té o ingerir algún suplemento
Falta de concentración	Miel	Ingerir sola o disuelta en té
	Hierba de San Juan	Beber té o ingerir algún suplemento
• Músculos, huesos y articulaciones		
Dolor de espalda	Compresas	Frías, con vinagre de manzana o yogur; tibias, con vinagre de manzana, aceite esencial, papa o hierba de San Juan
	Hidroterapia	Afusiones tibias o frías
	Vendas pequeñas	Tibias con flores de heno
	Hierba de San Juan	Compresas tibias con aceite

REMEDIOS EFICACES PARA MALESTARES ESPECÍFICOS

SÍNTOMAS	REMEDIO	APLICACIÓN
• Músculos, huesos y articulaciones (continuación)		
Gota	Té verde	Beber en forma periódica como profiláctico
	Vendas	Tibias o frías, con hojas de repollo
Dolor en las articulaciones, artritis	Vinagre de manzana	Refresco de vinagre de manzana y miel
	Ortiga	Beber té; ingerir el fruto o utilizarlo en vendas pequeñas; masajear con tintura alcohólica
Dolores musculares; músculos desgarrados	Hierba de San Juan	Masajes, vendas tibias con aceite
	Vendas	Vendas tibias con manzanilla, flores de heno, papa, aceite de hierba de San Juan
Osteoatritis	Hidroterapia	Afusiones, baños con agua fría
	Muérdago	Tratamiento con té de muérdago; inyecciones
	Vendas pequeñas	Vendas tibias con flores de heno
Reumatismo	Vinagre de manzana	Vendas frías o tibias; refresco de vinagre de manzana y miel
	Hidroterapia	Afusiones, lavados con agua fría
	Vendas pequeñas; vendas	Vendas frías, con yogur; tibias con hojas de repollo, flores de heno, cebolla o papa
	Ortiga	Beber té; ingerir el fruto o utilizarlo en cataplasmas; masajear con tintura alcohólica de ortiga
• Piel y cabello		
Acné, piel muy grasa y manchada	Aloe vera	Aplicar gel, máscara facial
	Vinagre de manzana	Baño de vapor facial; refresco de vinagre de manzana y miel
	Baños	Tibios, con manzanilla o hierba de San Juan
	Neguilla	Compresas tibias faciales con té; ingerir aceite o perlas de aceite; baños de vapor con semillas o aceite
	Caléndula	Baño de vapor facial; baños
	Manzanilla	Baño de vapor o compresas con té
	Miel	Preparados cosméticos
	Vendas pequeñas	Con vinagre de manzana, arcilla rica en minerales, yogur
	Hierba de San Juan	Baños faciales; aplicar sobre cada granito
	Baños de vapor	Con vinagre de manzana, manzanilla, hierba de San Juan
	Ortiga	Tratamiento con té de ortiga
Piel seca	Neguilla	Ingerir aceite o perlas de aceite; masajear con aceite la piel resquebrajada
	Manzanilla	Masajear con aceite; aplicar aceite o ungüento sobre la piel resquebrajada
	Onagra	Ingerir perlas de aceite
	Té verde	Lavar con té verde; beber en forma periódica
	Aceite vegetal	Utilizar para masajes o baños

REMEDIOS EFICACES PARA MALESTARES ESPECÍFICOS

SÍNTOMAS	REMEDIO	APLICACIÓN
• Piel y cabello (continuación)		
Eccemas	Neguilla	Ingerir aceite o perlas de aceite; aplicar aceite sobre las regiones afectadas
	Caléndula	Compresas; aplicar ungüento
	Té verde	Lavar con té verde; baños
Infecciones cutáneas fúngicas	Vinagre de manzana	Masajear las regiones afectadas
	Neguilla	Ingerir aceite o perlas de aceite; aplicar aceite sobre las regiones afectadas
Caída del cabello, cuidado del cabello	Vinagre de manzana	Ingerir diluida en agua; enjuagues
	Neguilla	Ingerir aceite o perlas de aceite
	Vendas pequeñas	Con hojas de repollo
	Ortiga	Enjuagar con decocción; masajear el cuero cabelludo
	Vinagre de manzana	Compresas frías
Picaduras de insectos	Equinácea	Aplicar ungüento
	Cebolla	Aplicar una rodaja de cebolla cruda
	Neguilla	Ingerir aceite o perlas de aceite; masajear con aceite no diluido
Neurodermatitis	Onagra	Ingerir perlas de aceite; aplicar aceite no diluido sobre la región afectada
	Aceite vegetal	Masajes con aceite de almendras, germen de trigo o maíz
Cabello maltratado	Vinagre de manzana	Ingerir diluida en agua; compresas
	Caléndula	Compresas con té o ungüento
Infecciones cutáneas bacterianas	Manzanilla	Compresas con té
	Compresas	Tibias, con caléndula, manzanilla o hierba de San Juan
	Equinácea	Aplicar ungüento; compresas con mezcla de equinácea o tintura diluida
	Miel	Aplicar sobre la región infectada
	Vinagre de manzana	Ingerir diluida en agua; baños, vendas pequeñas
	Té verde	Lavados; beber en forma periódica
Piel estresada y cansada	Lavados	Con agua fresca y aceites esenciales
	Aloe vera	Aplicar gel adquirido en comercios o gel fresco de la hoja
Quemaduras del sol, quemaduras leves	Vinagre de manzana	Compresas, baños con agua tibia
	Equinácea	Aplicar ungüento
	Té verde	Beber; utilizar para vendas pequeñas
	Vendas pequeñas	Con hojas de repollo, yogur
	Hierba de San Juan	Aplicar aceite
Úlceras	Caléndula	Vendas tibias; compresas con té o ungüento

REMEDIOS EFICACES PARA MALESTARES ESPECÍFICOS

SÍNTOMAS	REMEDIO	APLICACIÓN
• **Piel y cabello** (continuación)		
Heridas	Aloe vera	Aplicar gel adquirido en comercios o gel fresco de la hoja
	Vinagre de manzana	Ingerir diluido en agua; aplicar sobre la herida
	Caléndula	Vendas tibias; compresas con té o ungüento
	Manzanilla	Compresas con té fuerte
	Compresas	Tibias, con caléndula, manzanilla o hierba de San Juan
	Equinácea	Aplicar compresas con tintura o ungüento
	Miel	Aplicar una capa gruesa sobre las heridas cerradas
	Hierba de San Juan	Aplicar compresas; aceite
	Repollo blanco	Aplicar hojas cortadas en tiras
• **Malestares femeninos**		
Períodos irregulares	Agnocasto	Ingerir algún suplemento
Problemas de menopausia	Ginseng	Ingerir polvo o extracto
Mareos matutinos	Vinagre de manzana	Refresco de vinagre de manzana y miel
Síndrome premenstrual	Vinagre de manzana	Refresco de vinagre de manzana y miel
	Agnocasto	Ingerir algún suplemento
	Onagra	Ingerir perlas de aceite
Embarazo, nacimiento	Miel	Ingerir sola en forma periódica; infusión
Secreción vaginal	Vinagre de manzana	Lavados con vinagre de manzana diluida
Infección vaginal	Equinácea	Ingerir tintura

GUÍA COMPLEMENTARIA

El propósito de esta guía consiste en facilitar el uso de los remedios caseros y hierbas a todo nivel. Principalmente se desea facilitar el acceso a los remedios caseros en todo momento que sean necesarios. Por esta razón, se incluyen respuestas breves a preguntas que pueden suscitarse al utilizar diversos remedios. Se agrega, además, una lista de bibliografía relacionada que permite encontrar información adicional sobre ciertos temas.

RESPUESTAS A LAS PREGUNTAS MÁS COMUNES

REMEDIOS CASEROS DE LA COCINA

• ***Muchos sufren gases abdominales y malestar luego de haber ingerido chucrut. ¿Cómo puede evitarse?***
Calentar primero el chucrut sin utilizar grasa alguna. Agregar semillas de alcaravea, hinojo, enebrinas o un poco de miel. Las salchichas, la carne, el lardo o la panceta deben agregarse solo al final. Si esto no fuera suficiente para solucionar el problema, masticar algunas semillas de alcaravea o beber té de alcaravea. Además, si se ingiere chucrut u otros vegetales de la familia del repollo en forma periódica, el aparato digestivo se acostumbrará a este tipo de alimentos y ya no se sufrirá gases abdominales.

• ***¿Cuál es la diferencia entre la miel de flores y la de árbol?***
Ambos tipos de miel se preparan a partir de líquidos azucarados. En lo que respecta a su fuente, estos líquidos no tienen demasiado en común. Tal como lo indica su nombre, la miel de flores es fabricada con el polen producido por las flores. La miel de árbol es ligamaza predigerida, una sustancia segregada por los insectos que habitan en los árboles, tales como el piojo, que vive de las hojas o agujas de su huésped.

• ***¿Cómo pueden conservarse las hierbas comestibles?***
El método más común utilizado para conservar hierbas consiste en colgarlas para

que sequen en un lugar oscuro y con buena ventilación inmediatamente después de la cosecha. También pueden congelarse las hierbas, ya sea trozadas en cubeteras, enteras o envueltas en papel de aluminio. Un tercer método consiste en conservarlas en sal y aceite de oliva, en aceite o en vinagre.

• *¿Cuál es la diferencia entre el té verde y el negro?*

Ambas variedades de té se preparan con las hojas de una misma planta. Una vez cosechadas, las hojas de té negro son sometidas a un proceso de fermentación llevado a cabo por sus propias enzimas. Esto las hace adquirir, primero, un color rojo amarronado y después negro, una vez secas. El proceso permite que el cuerpo absorba la cafeína del té negro con mayor rapidez y así, ejerce un efecto más estimulante que el té verde. Sin embargo, la fermentación sacrifica algunos ingredientes que conserva el té verde. El té negro es, por lo tanto, más que una bebida de consumo. El té negro solía cultivarse principalmente en las colonias británicas. El té verde es superior al té negro.

• *¿Cómo puede saberse si un aceite vegetal tiene valor nutricional?*

La mayoría de los valiosos ingredientes activos, tales como vitaminas, flavonoides y lecitina, así como también compuestos aromáticos, se conservan solo si el aceite ha sido prensado en frío. El aceite de oliva prensado en frío se denomina extra virgen o virgen. Los aceite refinados han sido calentados a altas temperaturas y producidos con solventes químicos. Contienen una menor cantidad de ingredientes activos, pero su duración es mayor. A diferencia de los aceites prensados en frío, los aceites refinados no contienen sustancias químicas perjudiciales después de calentados. El aceite rancio no debe utilizarse. También contiene sustancias que pueden ser perjudiciales para el cuerpo.

HIERBAS

• *¿Por cuánto tiempo pueden guardarse las hierbas secas?*

El almacenamiento en lugares oscuros y secos de flores, hojas y raíces permite conservar la calidad durante aproximadamente un año. Después de ese período, algunos ingredientes activos se destruyen y la hierba pierde cada vez más su eficacia. Por esta razón, es aconsejable cosechar o comprar la cantidad necesaria de hierbas que va a utilizarse en un año.

• *¿Por qué no se recomienda verter agua directamente sobre ciertas hierbas para preparar té?*

Las plantas ricas en mucílago (por ejemplo, el malvavisco europeo y la malva real) necesitan reposar toda una noche en agua fría para asegurar que el mucílago no se destruya. Lo mismo ocurre con las plantas que contienen grandes cantidades de taninos (tales como las hojas de gayuba y valeriana). La extracción con agua fría otorga un sabor menos amargo al té. Otro método consiste en verter agua fría sobre la hierba y luego cocinar al vapor durante aproximadamente cinco minutos, a fuego lento, en un recipiente de cerámica. Retirar del fuego y dejar reposar otros cinco minutos; luego filtrar. Este método se utiliza principalmente para raíces y cortezas.

• ¿Cuáles son los posibles efectos colaterales de las hierbas?

Con todo medicamento existe la posibilidad de que surjan efectos colaterales no deseados o interacciones con otros medicamentos. Lo mismo ocurre con las hierbas, a pesar de que los efectos colaterales se producen con menor frecuencia, y cuando ocurre son en general más suaves. Cuando un medicamento herbal afecta sistemas tan delicadamente equilibrados como el hormonal y el sistema inmunológico, puede ejercer efectos similares a los de las sustancias sintéticas y químicas. Los compuestos demasiado potentes o tóxicos presentes en las hierbas pueden, además, causar problemas de acuerdo con la dosis y la sensibilidad del paciente. También es cierto que algunas personas sufren reacciones alérgicas a ciertas plantas "inofensivas por completo".

HIDROTERAPIA

• ¿Qué hacen las vendas frías?

Provocan, en primer lugar, la constricción de los vasos sanguíneos periféricos con el objeto de proteger el organismo contra la pérdida de calor en exceso. Tan pronto como los estímulos fríos disminuyen, una gran cantidad de sangre caliente y rica en nutrientes y en oxígeno fluye hacia la región afectada para reponer el suministro temporalmente reducido. La velocidad de la función metabólica en la región afectada aumenta de manera considerable, al igual que la respiración y la función linfática. A través de los nervios, los órganos internos también se ven estimulados.

• ¿Cuándo deben utilizarse vendas frías y cuándo se recomiendan vendas tibias?

Las vendas frías se utilizan para condiciones graves. Alivian la inflamación y el dolor, estimulan el metabolismo y movilizan las defensas del organismo contra enfermedades. El organismo debe expender energía para generar calor. Cuando los pacientes ya se encuentran débiles debido a una enfermedad, deben conservar energía. En tal caso, son preferibles las vendas tibias. Proporcionan calidez y mantienen la función inmunológica en lugar de simplemente activarla. Si la región afectada se encontrara fría, primero debe calentarse con una venda tibia o con una bolsa de agua caliente. Las vendas tibias no son recomendables si el paciente padece fiebre. La elección de una venda fría o tibia depende principalmente de la sensación del paciente. Una venda nunca debe resultar incómoda. Si el paciente es un niño, los estímulos proporcionados por la venda deben ser suaves: las vendas frías no deben ser demasiado frías, y las vendas calientes solo deben ser tibias.

• ¿Cuál es la diferencia entre una venda, una venda pequeña y una compresa?

Una venda pequeña solo se aplica sobre la región afectada, mientras que una venda, tal como lo indica su nombre, se envuelve alrededor de la región afectada. Un ejemplo de venda pequeña es la bolsita con flores de heno, que se coloca sobre una articulación adolorida, un músculo desgarrado o el estómago indispuesto. Las compresas son fáciles y rápidas de aplicar. Todo lo que se necesita es sumergir una toalla de mano pequeña en agua y colocarla luego sobre una herida o lesión provocada por el ejercicio de algún deporte.

EN GENERAL

• *¿Qué debe tenerse en cuenta al elegir un especialista en el cuidado de la salud?*

Los especialistas que utilizan hierbas y remedios caseros, ya sea que practiquen la medicina convencional o alternativa, deben primero efectuar un examen exhaustivo (es decir, es conveniente obtener información acerca de diagnósticos y tratamientos previos, estilo de vida del paciente, condiciones de trabajo y dieta). Para todos los diagnósticos médicos, es necesario consultar a un médico matriculado. Deben examinar al paciente en forma completa, fijar el propósito del tratamiento y elaborar un plan de tratamiento que establezca un tiempo después del cual pueda evaluarse el éxito del mismo. Deben informar al paciente acerca de los posibles riesgos del tratamiento sugerido, ser claros acerca de los honorarios desde el principio, conocer y poder determinar si la obra social cubre o no los costos. Los especialistas en el cuidado de la salud responderán con paciencia a todas las preguntas del paciente, incluso aquellas que se refieran a la experiencia y estudios del especialista. Nunca prometerán una cura inmediata o completa, no se opondrán a la medicina convencional o alternativa, y no cuestionarán si el paciente desea obtener una segunda opinión.

OTROS LIBROS DE SU INTERÉS

Huerta orgánica en macetas
María Gabriela Escrivá

Hidroponía
Martha Álvarez

Plantas aromáticas
María Gabriela Escrivá

Huerta jardín orgánica
María Gabriela Escrivá

Huertas orgánicas
María Gabriela Escrivá

Huerta para autoabastecerse en espacios pequeños
Esther Herr

Mi cuerpo, mi maestro Guía holística de los síntomas corporales
Alicia López Blanco

Alimentación para sanar Nutrición del cuerpo, nutrición del alma
Susana Zurschmitten

El lenguaje del cuerpo
Monika Matschnig

ÍNDICE

D

E

F

G

H

I

J

K

L

M

N

O

P

Q

R

S

T

U

V

Z

CRÉDITOS

Acerca del autor
Tanja Hirschteiner es periodista independiente y se especializa en temas médicos. Vive en Múnich, Alemania. Luego de haber finalizado sus estudios en lenguas romances y psicología, obtuvo su título como especialista en salud.
Durante años ha estudiado e investigado en medicina y tratamientos tanto alternativos como convencionales.

Fotografías
Bavaria/ Stock Imagery: página 152
Sigurd Döppel: foto de tapa y páginas 6, 8, 14, 76, 82, 89, 97, 112, 143, 150 y 180
Siegfried Eigstler: página 86
Hermann Eisenbeiss: páginas 7 109, 127, 146 y foto de contratapa/arriba
Manfred Jahreiß: página 59
Gudrun Kaiser: páginas 43 y 52
Ulla Kimmig: páginas 160, 161 y 164
Susanne Kracke: página 62
Michael Leis: foto de contratapa/ centro
Mauritius-AGE: página 41
Manfred Pforr: páginas 9, 90, 95 y 130, 132, 139 y 148
Reinhard-Tierfoto: páginas 2, 3, 4, 5, 6, 7, 31, 33, 38, 50, 55, 71, 72, 77, 79, 92, 98, 100, 103, 105, 110, 116, 120, 123, 124, 133, 134, 136 y 140
Thomas von Salomon: página 166 y foto de contratapa/abajo
Reiner Schmitz: páginas 4, 7, 12, 17, 20, 22, 27, 35, 75, 84, 102, 114, 151, 155, 157 y 162
Stock Food: página 64
Toni Stone: páginas 108 y 119
Studio Teubner: páginas 14, 25, 29, 44, 51, 63 y 66

Nota importante
Esta guía contiene consejos acerca de cómo tratar malestares con remedios naturales y caseros de resultados eficaces y comprobados. Queda bajo la responsabilidad del lector la elección de utilizar, y con qué alcance, remedios naturales para tratar malestares. Es necesario leer y prestar atención a las advertencias contenidas en este texto, así como también a la información con respecto a las limitaciones del autotratamiento. Seguir las instrucciones correspondientes a la dosis y uso apropiados. En caso de recibir atención médica, es necesario informarle al médico la intención de utilizar remedios caseros y naturales.

Título original: *Von Apfelessig bis Weibdorn Die besten Haus-und Naturheilmittel*

Para esta edición
Traducción: Silvina Merlos
Corrección: Guadalupe Rodríguez
Diseño: Paula Álvarez

REMEDIOS NATURALES
Impreso en Gráfica Offset SRL
Santa Elena 328, Capital Federal.
Buenos Aires 2017.

J. Salguero 2745 5° - 51 (1425)
Buenos Aires
República Argentina
E-mail: info@albatros.com.ar
www.albatros.com.ar

ISBN 978-950-24-1604-5

Hirschsteiner, Tanja

Remedios naturales : secretos de la medicina alternativa / Tanja Hirschsteiner. - 1a ed . - Ciudad AutÛnoma de Buenos Aires : Albatros, 2017.
192 p. ; 24 x 17 cm.

ISBN 978-950-24-1604-5

1. Medicinas Alternativas. 2. Salud. I. TÌtulo.
CDD 615.53